Vuelo a casa
y otros cuentos

ALFAGUARA

Vuelo a casa
y otros cuentos

Ralph Ellison

Traducción de Mariano Antolín Rato

ALFAGUARA

© Título original: Flying Home and Other Stories
© 1996, Fanny Ellison
© Epílogo: 1996, John F. Callahan
© De la traducción: Mariano Antolín Rato
© De esta edición:
   2002, Santillana Ediciones Generales, S. L.
   Torrelaguna, 60. 28043 Madrid
   Teléfono 91 744 90 60
   Telefax 91 744 92 24
   www.alfaguara.com

• Aguilar, Altea, Taurus, Alfaguara S. A.
Beazley 3860. 1437 Buenos Aires. Argentina
• Aguilar, Altea, Taurus, Alfaguara S. A. de C. V.
Avda. Universidad, 767, Col. del Valle,
México, D.F. C. P. 03100. México
• Distribuidora y Editora Aguilar, Altea,
Taurus, Alfaguara, S. A.
Calle 80 nº 10-23
Santafé de Bogotá. Colombia

ISBN: 84-204-4314-X
Depósito legal: M. 53.361-2001
Impreso en España - Printed in Spain

Diseño:
Proyecto de Enric Satué

© Cubierta:
Beatriz Rodríguez

Vuelo a casa
y otros cuentos

Una fiesta abajo en la Plaza

No sé qué la inició. Un grupo de hombres pasó delante de casa de mi tío Ed y dijeron que iba a haber una fiesta abajo en la Plaza, y mi tío me gritó que fuera y corrí con ellos entre la oscuridad y la lluvia y estábamos en la Plaza. Cuando llegamos todos estaban furiosos y andaban por allí mirando al asqueroso negro. Algunos de los hombres tenían armas, y uno pinchaba sin parar los pantalones del negro con el cañón de una escopeta, diciendo que debería apretar el gatillo, pero no lo hizo. Aquello pasaba justo enfrente del juzgado, y el viejo reloj de la torre estaba dando las doce. La lluvia caía muy fría y se congelaba al caer. Todo el mundo tenía mucho frío, y el asqueroso negro se envolvía con los brazos para dejar de temblar.

Entonces uno de los chicos se abrió paso a empujones en el círculo y arrancó la camisa del negro, y allí quedó éste, con la negra piel toda temblorosa a la luz de la hoguera, mirándonos con una expresión de pánico en la cara y hundiendo las manos en los bolsillos del pantalón. La gente empezó a chillar que se dieran prisa y mataran al asqueroso negro. Alguien gritó:

—Saca las manos de los bolsillos, negro de mierda; vamos a entrar en calor enseguida.

Pero el negro no le oyó y siguió con las manos donde estaban.

Te digo que la lluvia era muy fría. Yo tenía que hundir las manos en los bolsillos de lo frías que estaban. La hoguera era algo pequeña, y pusieron unos troncos alrededor del tablado donde tenían al negro y echaron gasolina, y se podían ver las llamas iluminar la Plaza entera. Era tarde y las farolas de la calle llevaban apagadas mucho tiempo. Había tanta luz que la estatua de bronce del general que estaba allí en la Plaza era como si estuviese viva. Las sombras que jugaban en su mohosa cara verde hacían que pareciera que estaba sonriendo al negro de debajo.

Echaron más gasolina, y eso hizo que la Plaza brillara como cuando están encendidas las luces o cuando el sol se pone rojo. Todas las carretas y los coches estaban junto a los bordillos. Pero no como los sábados; no había negros. Ni un solo negro a no ser aquel asqueroso negro Bacote y lo trajeron a rastras allí atado a la caja de la camioneta de Jed Wilson. Los sábados hay tantos negros de mierda como gente blanca.

Todos gritaban furiosos porque iban a prender fuego al negro, y yo llegué a la parte de atrás del círculo y paseé la vista por la Plaza tratando de contar los coches. Las sombras de la gente se estremecían en los árboles del centro de la Plaza. Entre los árboles vi unos pájaros a los que había despertado el ruido. Supongo que creían que era por la mañana. El hielo había empezado a hacer brillar los adoquines de la calle donde había caído la lluvia, helándose. Conté cuarenta coches antes de perder la cuenta. Me percaté de que debía de haber gente de Phenix City por todos los coches mezclados con las carretas.

Dios, fue una noche tremenda. Fue una noche de verdad. Cuando se apagó el ruido oí la voz del asqueroso negro desde donde yo estaba, allí atrás, conque me abrí paso hacia delante. El negro sangraba por la nariz y los oídos, y pude verle todo rojo por donde la oscura sangre le caía por la negra piel. No dejaba de levantar primero un pie y luego el otro, como un pollo encima de una chapa de la cocina ardiente. Bajé la vista al tablado donde lo tenían, y acercaron un anillo de fuego a sus pies. Aquello debe de haber sido un horno para él con las llamas casi tocándole los negros dedos de los pies. Uno le gritó al negro que dijera sus oraciones, pero el asqueroso negro ya no decía nada. Se limitaba a quejarse o algo así con los ojos cerrados y seguía moviendo arriba y abajo los pies, primero un pie y luego el otro.

Vi que las llamas hacían arder los troncos de más y más cerca de los pies del negro. Ahora ardían bien, y la lluvia había parado y se estaba alzando viento, lo que hacía que las llamas subieran cada vez más. Miré, y debía de haber unas treinta y cinco mujeres en la multitud, y distinguí sus voces claras y chillonas mezcladas con las de los hombres. Luego pasó aquello. Yo oí el ruido más o menos al mismo tiempo que lo oyeron todos los demás. Era como el rugido de un ciclón que soplara desde el golfo, y todos alzaron la vista al aire para ver qué era. Algunas caras parecían sorprendidas y asustadas, todas menos la del asqueroso negro. Él ni siquiera oía el ruido. Ni siquiera alzó la vista. Entonces el ruido se acercó más, hasta justo encima de nuestras cabezas, y el viento soplaba cada vez más alto y el sonido parecía hacer círculos.

Entonces lo vi. Entre las nubes y la niebla distinguí una luz roja y verde en sus alas. Las distinguí sólo un segundo; luego se alzó por encima de las nubes bajas. Por encima de los edificios busqué con la vista la baliza en dirección al campo de aviación, que está a setenta y cinco kilómetros de distancia, y por allí no hacía círculos. Normalmente de noche los distingues dando pasadas por el cielo, pero allí no estaba. Luego, estaba de nuevo, como un gran pájaro perdido en la niebla. Busqué las luces roja y verde y ya no estaban. Volaba incluso más cerca de los tejados de los edificios que antes. El viento soplaba más fuerte, y empezaban a arremolinarse hojas, formando sombras raras en el suelo, y las ramas de los árboles se partían y caían.

Era un auténtico temporal. El piloto debe de haber creído que estaba sobre la pista de aterrizaje. A lo mejor creyó que la hoguera de la Plaza la habían hecho para que aterrizase. Dios, pero aquello sí que asustó a la gente. También yo estaba asustado. Empezaron a gritar:

—Va a aterrizar. Va a aterrizar —y—: Va a caer.

Unos cuantos corrieron a sus coches y carretas. Oí crujir las carretas y ruido de cadenas arrastrando y coches soltando algo como toses cuando arrancaron los motores. A mi derecha, un caballo empezó a dar coces y pegar con los cascos contra un coche.

Yo no sabía qué hacer. Quería correr, y quería quedarme y ver lo que iba a pasar. El avión estaba espantosamente cerca. El piloto debía de estar tratando de ver dónde se encontraba, y los motores ahogaban todos los sonidos. Incluso sentía la vibración, y noté como si el pelo se me levantara debajo del sombrero. Resultó que miré la estatua del general que tenía una pierna delante de la otra y se apoyaba en una espada, y estaba preparándome para correr y trepar entre sus piernas y quedarme allí y ver lo que pasaba, cuando el ruido disminuyó algo, y alcé la vista y el aparato estaba planeando justo por encima de las copas de los árboles del centro de la Plaza.

Sus motores se detuvieron del todo y oí el sonido de ramas rompiéndose y partiéndose debajo de su tren de aterrizaje. Ahora lo podía ver entero, todo plata y resplandor a la luz de la hoguera con T.W.A. en letras negras debajo de las alas. Se elevaba suavemente de la Plaza cuando alcanzó las líneas de alta tensión que siguen la carretera de Birmingham a través del pueblo. Hizo un ruido fuerte. Sonó como cuando el viento cierra de golpe la puerta de un granero metálico. Sólo las alcanzó con el tren de aterrizaje, pero vi saltar chispas, y los cables que se soltaron de los postes despedían chispas azules y coleaban como un grupo de serpientes y hacían círculos de chispas azules en la oscuridad.

El avión con el choque había soltado cinco o seis cables, y éstos colgaban y se balanceaban, y cada vez que tocaban algo soltaban más chispas. El viento los hacía balancearse, y cuando escapaba, hubo un crujido y formaron una pantalla de neblina azul que atravesaba la carretera. Perdí el sombrero al correr, pero no me detuve a buscarlo. Yo estaba entre los primeros y oía que los pasos de los demás resonaban tras de mí al cruzar la hierba de la Plaza. Gritaban para quitarse el canguelo, y subieron rápido, a empujones y codazos, y a uno lo empujaron contra uno de los cables que se balanceaban. Hubo un sonido como cuando un herrero mete una herradura de caballo al rojo en un barril de agua, y sale vapor. Olí a carne quemada. La primera vez que la he olido nunca. Me acerqué y era una mujer. Debía de haberla matado en el acto. Estaba caída en un charco tiesa como una tabla, con trozos de los aislantes de cristal que el avión había arrancado de los postes caídos a su alrededor. Tenía el vestido blanco desgarrado, y vi una de sus tetas que colgaba en el agua, y los muslos. Una mujer chilló y se desmayó y casi cayó encima del cable, pero la agarró un hombre. El sheriff y sus hombres gritaban y echaban a la gente para atrás con armas que brillaban en sus manos, y todo estaba iluminado de azul por las chispas. La descarga había dejado a la mujer casi tan negra como el jodido negro. Traté de ver si la mujer no estaba azul también, o sólo eran las chispas, y el sheriff hizo que me alejase. Cuando retrocedí tratando de ver, oí los motores del avión que arrancaban otra vez en algún punto a la derecha, entre las nubes.

Las nubes se movían rápido con el viento y el viento traía hacia mí el olor de algo quemándose. Me di la vuelta, y la multitud se dirigía de nuevo hacia el negro de mierda. Lo distinguí allí de pie en mitad de las llamas. El viento hacía más altas las llamas a cada momento. La multitud corría. Yo también corrí. Volví a atravesar la hierba corriendo con la multitud. Ésta ahora ya no era tan grande pues muchos se habían ido cuando llegó el avión. Tropecé y me derrumbé sobre la rama de un árbol caída en la hierba y me mordí el labio. Noté sabor a sangre en la boca mientras corría. Supongo que eso fue lo que me puso malo. Cuando llegué, el fuego había prendido los pantalones del asqueroso negro, y la gente estaba allí alrededor mirando, pero no demasiado cerca debido al viento que avivaba las llamas. Uno gritó:

—Bueno, negro de mierda, ya no hace tanto frío, ¿eh? Ahora no necesitas meterte las manos en los bolsillos.

Y el negro alzó la mirada con sus grandes ojos blancos con pinta de que le iban a salir disparados de la cabeza, y yo tuve suficiente. No quería ver más. Quería correr a algún sitio y vomitar, pero me quedé. Me quedé allí mismo en primera fila y miré.

El asqueroso negro trató de decir algo que no pude oír debido al rugido del viento en el fuego, y agucé el oído. Jed Wilson gritó:

—¿Qué estás diciendo ahí, negro de mierda?

Y aquello llegó entre las llamas en su voz de negro:

—Caballeros, ¿tendría la bondad de degollarme uno de ustedes? —decía—. Por favor, ¿no querría alguien cortarme el cuello como a un cristiano?

Y Jed contestó gritando:

—Lo siento mucho, pero esta noche por aquí no hay cristianos. Tampoco hay ningún judío. Sólo somos americanos cien por cien.

Luego el asqueroso negro quedó callado. La gente empezó a reírse con Jed. Jed es muy popular entre la gente, y el año que viene, dice mi tío, piensan presentarle para sheriff. El calor era demasiado para mí, y los ojos me escocían por el humo. Trataba de retirarme cuando Jed se agachó y sacó una lata de gasolina y la lanzó a la hoguera del negro. Vi que las llamas llegaban a la gasolina formando un chorro cuando se convirtieron en una lámina de plata y algo de ésta alcanzó al negro, haciendo chorros de fuego azul por encima de su pecho.

Bueno, pues el jodido negro era un tipo duro. Tuve que reconocerlo de aquel asqueroso negro; era un tipo duro de verdad. Había empezado a arder como una casa en llamas y hacía que el humo oliese como a piel quemada. El fuego le subía por la cabeza y el humo era tan espeso y negro que yo no lo podía ver. Y él no se movía; pensamos que estaba muerto. Entonces empezó. El fuego había quemado las cuerdas con las que le habían atado, y empezó a dar saltos y a patalear como si estuviera ciego, y olía a su piel quemándose. Pataleó tan fuerte que el tablado, que también ardía, se hundió, y él salió rodando del fuego hasta mis pies. Salté hacia atrás para que no me alcanzara. Nunca olvidaré aquello. Cada vez que hago una barbacoa me acuerdo de aquel jodido negro. Su espalda parecía cerdo a la parrilla. Le vi las marcas de las costillas donde empiezan en la columna vertebral y se curvan hacia abajo. Había que verla, la espalda de aquel jodido negro. Estaba allí a mis pies, y me empujaron y casi lo piso, y todavía estaba ardiendo.

No lo pisé, con todo, y Jed y otros lo volvieron a empujar dentro de las tablas y troncos ardiendo y echaron más gasolina. Yo me quería ir, pero la gente gritaba y sólo me podía mover para mirar a mi alrededor y ver la estatua. Una rama arrancada por el viento descansaba en su sombrero. Intenté abrirme paso a empujones y largarme porque se me habían revuelto las tripas, y lo único que me llegaba era saliva y en la cara el aliento caliente de las mujeres y los dos hombres que estaban justo detrás de mí. Conque tuve que volverme. El jodido negro rodó fuera del fuego otra vez. No podía quedarse en el mismo sitio. Esta vez estaba del otro lado. Yo no lo veía muy bien entre las llamas y el humo. Echaron unos troncos y esta vez lo subieron y se quedó hasta volverse ceniza. Me parece que se quedó allí. Supe que se había vuelto ceniza porque vi a Jed una semana después, y él se rió y me enseñó unos huesos blancos de los dedos todavía con trocitos de la piel del jodido negro. De todos modos, yo me largué cuando alguien se apartó para ver al negro. Me abrí paso a codazos por entre la gente, y una mujer de detrás me arañó la cara mientras gritaba y hacía esfuerzos por acercarse.

Atravesé corriendo la Plaza hasta el otro lado, donde el sheriff y sus ayudantes vigilaban los cables que todavía chisporroteaban y formaban una niebla azul. El corazón me latía como si llevara corriendo mucho trecho, y me doblé y dejé que se me salieran las entrañas. Salió todo y formó un gran borbotón en el suelo. Estaba mareado, y agotado, y débil, y helado. El viento todavía era fuerte, y estaban empezando a caer grandes gotas de lluvia. Corrí calle abajo hasta casa de mi tío pasando por delante de una tienda a la que el viento había roto un escaparate, y los cristales estaban por toda la acera. Les di patadas según pasaba. Recuerdo que el gallo idiota de alguien hizo quiquiriquí como si fuera por la mañana con todo aquel viento.

Al día siguiente me encontraba demasiado mal para levantarme, y mi tío se metió conmigo y me llamó «el más acojonado de Cincinnati». No me importó. Él dijo que con el tiempo uno se acostumbraba. Él no podía salir. Hacía demasiado viento y llovía mucho. Me levanté y miré por la ventana, y la lluvia era torrencial y el jardín estaba sembrado de gorriones muertos y ramas de árbol. Había sido un ciclón, sin duda. Había barrido la comarca, y tuvimos suerte de que no nos alcanzara con toda su fuerza.

Sopló durante tres días seguidos, y dejó al pueblo en bastante mal estado. El viento provocó chispas y prendió fuego a la casa con borde blanco y verde de Jackson Avenue que tenía los grandes leones de cemento a la entrada y ardió de arriba abajo. Tuvieron que matar a otro asqueroso negro que trató de largarse de la comarca después de que hubieran quemado a aquel negro Bacote. Tío Ed dijo que siempre tienen que matar a los asquerosos negros por pares para mantener a los demás negros en su sitio. No sé por qué, pero la gente parecía tener un poco de miedo a los negros. Volvieron todos pero se comportaban de modo siniestro. Parecían peores que el demonio cuando te cruzabas con ellos en la tienda. El otro día yo estaba allá en la tienda de Brinkley, y un jornalero blanco dijo que no servía de nada matar asquerosos negros porque las cosas no iban mejor. Parecía muerto de hambre. La mayoría de los jornaleros parecen muertos de hambre. Te dejaría tieso el hambre que parecen tener los blancos. Le dijo alguien que mejor cerrara la puñetera boca, y él la cerró. Pero por la expresión de su cara no quedaría callado mucho tiempo. Salió de la tienda murmurando y escupió un gran trozo de tabaco justo allí en el suelo de la tienda de Brinkley. Brinkley dijo que estaba molesto porque no quería venderle a crédito. De todos modos, aquello no pareció mejorar las cosas. Primero fue el asqueroso negro y la tormenta, luego el avión, luego la mujer y los cables, y ahora oigo que la compañía de aviación está investigando para descubrir quién hizo la hoguera que casi estrelló a su avión. Todo eso en una noche, y todo eso excepto la tormenta por culpa de un asqueroso negro. Fue una noche tremenda. También fue una especie de fiesta. Yo estaba allí, ¿sabes? Yo estaba allí viendo todo eso. Fue mi primera fiesta y la última. Dios, pero aquel jodido negro era un tipo duro. ¡Aquel asqueroso negro Bacote era un cacho de asqueroso negro!

Un chico en tren

El tren soltó un pitido prolongado, agudo, solitario, y pareció ganar velocidad cuando se lanzó cuesta abajo entre dos colinas cubiertas de árboles. Los árboles estaban cubiertos de hojas rojo oscuro, pardas y amarillas. Las hojas caían en la ladera de la colina y se dispersaban hasta las piedras grises que acompañaban a las vías enfrentadas. Cuando la máquina soltó vapor, los niños vieron la nube blanca dispersar las hojas de colores por la ladera de la colina. La máquina soltó un silbido, y las hojas bailaron en el vapor como hojas en un viento blanco.

—Mira, Lewis, Jack Frost hizo las hojas bonitas. Jack Frost pinta todas las hojas de colores bonitos. Mira, Lewis: marrón y escarlata, y naranja, y amarillo.

El niño señalaba y se detenía después de decir el nombre de cada color, su dedo doblado contra el cristal de la ventanilla del tren. El bebé repitió los colores tras él, buscando atentamente a Jack Frost con la mirada.

Hacía mucho calor dentro del tren, y el vagón estaba demasiado cerca de la máquina, lo que hacía imposible abrir la ventanilla. Las carbonillas consiguieron entrar en el vagón más de una vez y volaron a los ojos del bebé. La mujer alzaba la cabeza de su libro de cuando en cuando para vigilar a los niños. El vagón estaba sucio, y parte de él se utilizaba para el equipaje. Delante del todo, la caja de pino de un ataúd ocupaba un rincón. Me pregunto quién será el pobre que está ahí, pensó la mujer.

Bolsas y baúles cubrían el suelo de la parte delantera, y de vez en cuando entraba el vendedor a coger caramelos, o fruta o revistas, para venderlas en los vagones de los blancos. Entraba y cogía una cesta de caramelos, salía, volvía; cogía una caja de fruta, salía; volvía, cogía unas revistas, y así hasta que se lo había llevado todo; luego empezaba otra vez.

Era un blanco grande, gordo con la cara colorada, y el niño esperaba que les diese un caramelo; después de todo tenía muchos, y mamá no tenía monedas que darles. Pero el hombre nunca se lo daba.

La madre leía atentamente, sujetando una página en la mano mientras la recorría, luego la volvía lentamente. Los únicos pasajeros de la zona de asientos reservados a los de color eran ellos. La mujer volvió la cabeza, mirando hacia la puerta de atrás que llevaba al otro vagón; era hora de que volviera el vendedor. Tenía la frente arrugada de fastidio. El vendedor había tratado de tocarle los pechos cuando ella y los niños entraron en el vagón, y ella le había escupido en la cara y dicho que mantuviera sus sucias manos donde debía. El vendedor se había puesto rojo y había salido rápidamente del vagón, con las cestas oscilando violentamente en los brazos. Lo odiaba. ¿Por qué una negra no podía viajar con sus dos chicos sin que la molestasen?

El tren ya había dejado atrás las colinas y cruzaba campos divididos por cercas de madera en curva que se extendían ondulados y pardos con

hacinas de grano hasta donde los árboles bordeaban el horizonte azul. Las cercas le recordaron al
chico al hombre encorvado que anduvo un par de
kilómetros en curva.

Pájaros rojos salían disparados al pasar el
tren, posándose en los campos, luego alzaban el vuelo otra vez cuando uno volvía a mirar para ver los
postes de teléfono y los campos que pasaban, y se
alejaban rápidamente del tren. Los niños lo estaban pasando bien. Era su primer viaje. El campo
era de un dorado brillante debido al veranillo. En
un camino de más allá de un prado, un chico llevaba una vaca tirando de una soga y un perro la-
draba junto a las patas de la vaca. Era un perro bonito, pensó el niño del tren, un collie. Sí, ésa era la
raza del perro: un collie.

Un mercancías pasaba, iba en dirección
a Oklahoma City, pasaba tan rápidamente que sus
vagones naranjas y rojos parecían una raya de acua-
rela con espacios grises perforándola. El niño se
sentía raro siempre que pensaba en Oklahoma City; como si quisiera llorar. A lo mejor no volvían
nunca. Se preguntó qué estarían haciendo ahora
Frank, R.C. y Petey. ¿Recogiendo los melocotones de Mr. Stewart? Se le hizo un nudo en la garganta. Una pena que se hubieran ido cuando Mr.
Stewart les había prometido la mitad de todos los
melocotones que recogieran. Soltó un suspiro. El
tren pitaba muy triste y solitario.

*Bueno, ahora iban a McAlester, donde ma-
má tendría un buen trabajo y dinero suficiente para
pagar las cuentas. Estupendo, Mr. Balinger debía de
haber quedado satisfecho con el trabajo de mamá y
la llamó para que fuera a trabajar para él desde Okla-*

homa City. Mamá estaba contenta de ir, y a él le alegraba que mamá estuviera contenta; ella trabajaba mucho ahora que papá se había ido. Cerró los ojos apretados, tratando de ver la imagen de papá. Nunca debía olvidar cómo era papá. Se parecería a él cuando creciese: alto, cariñoso y siempre bromeando y leyendo libros... *Bueno, espera un poco; cuando él fuera mayor y trajera a mamá y Lewis de vuelta a Oklahoma City, todos verían lo bien que cuidaba a mamá, y ella diría: «Veis, éstos son mis dos chicos», y estaría muy orgullosa. Y todo el mundo diría: «Fijaos, ¿no son dos hombres estupendos los chicos de Mr. Weaver?». Así era como sería.*

La idea hizo que se aflojara algo el nudo que se le hacía en la garganta cuando pensaba que nunca, nunca iba a volver, y se dio la vuelta para ver quién cruzaba la puerta.

Un hombre y un niño blancos entraron en el vagón y avanzaron hacia la parte de delante. Su madre alzó la vista, luego volvió a bajar los ojos hacia el libro. Él se mantuvo tieso y miró por encima de los respaldos de los asientos, tratando de ver lo que estaban haciendo el hombre y el niño. El chico blanco tenía un perrillo en brazos; le acariciaba la cabeza. El niño blanco preguntó al hombre si podía soltar el perro, pero el hombre dijo que no, y siguieron, balanceándose de lado a lado, hasta salir del vagón. El perro debía de estar dormido, porque en todo el tiempo no emitió ningún sonido. El niño blanco iba vestido como los niños que salen en las películas. ¿Tendría bici?, se preguntó el chico.

Miró afuera por la ventanilla. Ahora había caballos, una manada, que corrían y sacudían las crines y colas, y pateaban el suelo muy fieros cuando sonaba el pito. Se vio montado en un caballo blanco, haciendo girar un lazo por encima de las cabezas de los potros salvajes y gritando «¡Yip, yip, yipi!» como Hoot Gibson en el cine. Los caballos entusiasmaron a Lewis, y golpeó con las manos en la ventanilla y chilló:

—¡Arre! ¡Arre!

El chico sonrió y miró a su madre. Ésta alzó la vista de la página y sonrió, también. Lewis era guapo, pensó él.

Se detuvieron en un pueblo en pleno campo. Había hombres parados delante de la estación, mirando cómo un mozo lanzaba un paquete de periódicos. Luego varios blancos entraron en el vagón y uno dijo:

—Ésta debe de ser —y señaló la gran caja, y el mozo dijo:

—Sí, tiene que ser ésa. Es la única que traemos en este viaje, conque debe de ser ésa.

Luego el mozo saltó fuera del vagón y entró en la estación. Los hombres iban vestidos con traje negro y camisa blanca. Parecían muy incómodos con sus cuellos altos, y se movían con solemnidad. Levantaron la caja cuidadosamente y la llevaron a la puerta lateral del vagón. Los blancos con mono les miraban desde el andén. Cargaron la caja en una carreta, y el hombre dijo «Arre» a los caballos y se alejaron; los hombres en la parte de atrás con la caja, muy estirados y tiesos.

Uno de los hombres del andén se estaba hurgando los dientes y escupía tabaco mascado al suelo. La estación estaba pintada de verde, y un cartel de un lado decía RAPÉ TUBE ROSE y mostraba una gran flor blanca; no parecía una rosa, sin embargo. Hacía mucho calor, y los hombres tenían abierto el cuello de la camisa y llevaban pañuelos rojos al cuello. Seguían parados en la misma posición cuando el tren arrancó; miraban. ¿Por qué la gente blanca te mira de ese modo?, se preguntó el chico.

A la salida del pueblo vio un gran granero de piedra roja que se alzaba detrás de unos árboles. Al lado había algo que él nunca había visto antes. Era alto y redondo y estaba hecho con el mismo tipo de piedra que el granero. Trepó a su asiento y señaló.

—¿Qué es esa cosa alta, mamá? —dijo.

Ella alzó la cabeza y miró.

—Es un silo, hijo —dijo—. Ahí es donde almacenan el grano —tenía los ojos extrañamente distantes cuando volvió su cara hacia él. El sol le daba en los ojos, y tenía la piel marrón claro. Él se acomodó en el asiento. *Silo, silo. Casi tan alto como el Colcord Building de Oklahoma City que ayudó a construir papá...*

El chico dio un salto, sobresaltado; mamá pronunciaba su nombre con lágrimas en la voz. Se volvió y las lágrimas estaban en su cara.

—Ven aquí, James —dijo ella—. Trae a Lewis.

Agarró a Lewis de la mano y se desplazaron hasta el asiento de al lado de ella. *¿Qué habían hecho?*

—James, hijo —dijo ella—. Ese viejo silo lleva ahí mucho tiempo. Me hizo recordar cuando hace años yo y tu padre pasamos en esta misma vieja línea de Rock Island camino de Oklahoma City. Nos acabábamos de casar y era estupendo ir al

Oeste porque nos habían dicho que los de color aquí tendríamos oportunidades.

James sonrió, escuchando; le encantaba oír a mamá hablar de cuando ella y papá eran jóvenes, y de lo que hacían normalmente allá en el Sur. Notaba, sin embargo, que esto era algo distinto. Algo de la voz de mamá era enorme y estaba en lo alto, como un arco iris; con todo, algo triste y profundo, como cuando tocaban el órgano en la iglesia, rondaba las palabras de mamá.

—Hijo. Quiero que te acuerdes de este viaje —dijo ella—. Entiéndelo, hijo. *Quiero* que te acuerdes. *Debes, tienes* que entender.

James percibió algo; se esforzó por entender. Miró a la cara de su madre. Le brillaban lágrimas en los ojos, y él notó que podría echarse a llorar. Se mordió el labio. No, él era el hombre de la familia, y no podía comportarse como un recién nacido. Tragó, escuchando.

—Acuérdate de esto, James —dijo ella—. Vinimos todo el camino desde Georgia en esta misma línea de tren hace catorce años, así las cosas serían mejores para vosotros, chicos, cuando llegarais. Debes acordarte de esto, James. Viajamos mucho, en busca de un mundo mejor, donde las cosas no fueran tan duras como eran allá en el Sur. Eso fue hace catorce años, James. Ahora tu padre nos ha dejado, y tú eres el hombre. Las cosas son duras para nosotros, los de color, hijo, y estamos los tres solos y tenemos que seguir unidos. Las cosas están mal y tenemos que luchar... ¡Oh, Señor, tenemos que luchar!

Se interrumpió, los labios apretados muy tensos mientras sacudía la cabeza, dominada por la emoción. James le pasó el brazo por el cuello y le acarició la mejilla.

—Sí, mamá —dijo—. No lo olvidaré.

No lo entendía todo, pero se hacía cargo. Era como entender lo que decía la música sin palabras. Interiormente se sentía muy entero. Ahora mamá le atraía hacia ella; el bebé descansaba contra su otro costado. Aquello era conocido; desde que papá murió mamá rezaba con ellos, y ahora estaba empezando a rezar. Él inclinó la cabeza.

—Acompáñanos y protégenos, Señor. Entonces éramos yo y él, Señor; ahora somos yo y sus hijos. Y te doy las gracias, Señor. Consideraste conveniente llevártelo, Señor, y mi alma lo acepta en Tu nombre. Yo era feliz, Señor; la vida era como un ruiseñor que canta. Y lo único que ahora pido es seguir con estos niños, criarlos y protegerlos, Señor, hasta que sean lo suficientemente mayores para seguir su camino. Haz que sean fuertes y no tengan miedo, Señor. Dales fuerzas para enfrentarse al mundo. Haz que sean valientes para llegar a donde las cosas son mejor para nuestra gente, Señor...

James estaba sentado con la cabeza inclinada. Siempre que rezaba mamá, por dentro él se sentía tenso y ardiente. Y no dejaba de recordar la cara de su padre. Nunca podía recordar a papá rezando, pero la voz de papá era profunda y fuerte cuando cantaba en el coro los domingos por la mañana. James tenía ganas de llorar, pero, vagamente, sentía que *algo* hacía llorar a mamá. Algo cruel que la hacía llorar. Sentía que la tirantez en la garganta se convertía en rabia. Si al menos supiera lo que era, lo remediaría; mataría a esa cosa malvada que hacía sentirse tan mal a mamá. Debía de

ser espantosa porque mamá era fuerte y valiente
e incluso mataba ratones cuando la blanca en cuya casa trabajaba sólo se levantaba el vestido y gritaba como una niña asustada. Si al menos supiera
lo que era... ¿Era Dios?

—Por favor, mantennos juntos a los tres en
esa ciudad desconocida, Señor. El camino es oscuro y largo y mis penas pesadas pero, si es Tu voluntad, Señor, déjame que eduque a mis chicos. Déjame que los críe, para que así puedan vivir mejor
esta vida. No quiero vivir por mí misma, Señor,
sólo por estos chicos. Hazlos hombres fuertes, rec-
tos, Señor; hazlos luchadores. Y cuando mi trabajo en la Tierra haya terminado, llévame a Tu rei-
no, Señor, a salvo en los brazos de Jesús.

El chico oía la voz desvanecerse hasta ser
un gemido atormentado detrás de unos labios tem-
blorosos. A mamá le corrían lágrimas por la cara.
James se sentía muy mal; no le gustaba ver llorar a
mamá, y volvió los ojos hacia la ventanilla cuando
ella empezó a secarse las lágrimas. Le alegró que se
recuperara ahora porque el vendedor volvería al vagón en pocos minutos. Y no quería que un blanco
viera llorar a mamá.

Ahora cruzaban un río. Las oblicuas vigas
de un puente se movieron lentamente al pasar el
tren. El río era pantanoso y rojo; corría por debajo de ellos. El tren se detuvo, y el bebé señalaba
una vaca de la orilla del río de abajo. La vaca siguió mirando el agua, rumiando; parecía una vaca
del cuaderno para dibujar del bebé, sólo que no
había mariposas alrededor de la cabeza.

—¡Guau-guau! —dijo el bebé—. ¿Guau-
guau?

—No, Lewis es una vaca —dijo James—. Muu —dijo—. Vaca.

El bebé se rió, encantado.

—¡Muu-uuu!

Estaba muy interesado.

James contempló el agua. El tren se volvía a mover, y se preguntó por qué lloraba su madre. No sólo era porque se hubiera ido papá; no sonaba sólo a eso. Era algo más. Mataré a eso cuando sea grande, pensó. ¡Le haré llorar como eso está haciendo que llore mamá!

El tren pasaba por un campo petrolífero. Había muchos pozos en el campo; y los grandes depósitos redondos brillaban como plata al sol. Un pozo estaba cubierto de tablas y parecía una gran tienda de campaña india ante el cielo. Todos los pozos apuntaban directamente al cielo. Sí, lo mataré. Le haré llorar. Aunque sea Dios, haré llorar a Dios, pensó. Lo mataré; ¡mataré a Dios y no lo lamentaré!

El tren dio tirones, ganando velocidad, y las ruedas empezaron a producir un ritmo irregular en sus oídos. Había muchos carteles de anuncio en los campos por los que pasaban. Todos los carteles hablaban de las mismas cosas en venta. Un cartel tenía un gran toro rojo y decía BULL DURHAM.

—Mu-uu —dijo el bebé.

James miró a su madre; ahora había contenido su llanto y sonrió. Notó que él perdía algo de tirantez. Sonrió. Tenía muchas ganas de besarla, pero ahora debía mostrar la reserva propia de un hombre. Sonrió. Mamá era guapa cuando sonreía. Hizo el propósito de no olvidar nunca lo que había dicho ella.

—Estamos en 1924, y nunca lo olvidaré —se susurró para sí mismo.

Luego miró por la ventanilla, apoyando la barbilla en la palma de la mano. Se preguntaba cuánto más les quedaba de viaje, y si habría chicos para jugar al fútbol en McAlester.

The New Yorker, 29 de abril-6 de mayo de 1996

Mister Toussan

«Érase una vez
Que los patos vino bebían,
Los monos café sorbían
Y él escupía pez.»

Copla usada como prólogo
a relatos de esclavos negros

—Ojalá se pudran todas y se las coman los gusanos —dijo el primer chico.

—Ojalá sople un viento muy fuerte y se lleve todos los árboles —dijo el segundo chico.

—Eso mismo —dijo el primer chico—. Y cuando el viejo Rogan salga a ver lo que pasó, que le caiga un árbol encima de todo el coco y lo mate.

—Fíjate en esos pájaros de allá lejos —dijo el segundo chico—. Comen todas las que quieren y cuando nosotros le preguntamos si nos dejaba coger algunas de las del suelo, tuvo que venir ¡llamándonos negros mierdosos y persiguiéndonos hasta casa!

—Hay que fastidiarse —dijo el segundo chico—. ¡Ojalá esos pájaros tengan las patas envenenadas!

Los dos chicos pequeños, Riley y Buster, estaban sentados en el suelo del porche, con los pies descalzos descansando en la tierra fría mientras miraban, pasada la línea de adoquines donde el sol consumía la sombra, un terreno de justo enfrente de la calle. La hierba del terreno estaba muy verde, y destacaba en ella una casa pulcra y blanca al sol de la mañana. Una doble hilera de árboles se alzaba a los lados de la casa, cargados de cerezas que destacaban en un rojo oscuro entre el verde intenso de las hojas y el opaco marrón oscuro de las ramas. Los dos chicos estaban vigilando a un viejo que se balanceaba en una mecedora mientras les devolvía la mirada desde el otro lado de la calle.

—¡Fíjate en él! —dijo Buster—. Al viejo Rogan le da tanto miedo que vayamos a mangarle unas cuantas cerezas que ni siquiera se le ocurre quitarse del sol.

—Bueno, esos pájaros las cogen —dijo Riley.

—Son sinsontes.

—Me da lo mismo los pájaros que sean, las cogen de los árboles.

—Claro, y el viejo Rogan no *los* ve. Tío, te digo que los blancos están locos.

Ahora quedaron en silencio, mirando los vuelos vertiginosos de los pájaros en los árboles. A sus espaldas oían el triquitraque de una máquina de coser: la madre de Riley cosía para los blancos. No había ruidos, y mientras trabajaba, la voz de la mujer se alzaba por encima del sonido de la máquina, cantando.

—Oye, tu madre canta muy bien —dijo Buster.

—Canta en el coro —dijo Riley—, y en la iglesia canta todos los solos.

—¡Carambola! Ya lo sé —dijo Buster—. ¿Estás dándote aires?

Mientras escuchaban, oyeron la voz alzarse clara y líquida, flotando en el aire de la mañana:

Yo tengo alas, tú tienes alas,
Todos los hijos de Dios tienen alas.
Cuando llegue al cielo me voy a poner alas,
Voy a gritar por todo el cielo de Dios,
Cielo, cielo.
Todos hablan del cielo en que no han estado.
Cielo, cielo, voy a volar por el cielo de Dios...

Cantaba como si para ella las palabras poseyeran un significado profundo y vibrante, y los chicos miraban inexpresivamente el suelo, notando la calma misteriosa y sombría de la iglesia. La calle estaba en silencio, y hasta el viejo Rogan había dejado de mecerse para escuchar. Finalmente la voz se desvaneció convirtiéndose en un tarareo y se perdió en el traqueteo de la activa máquina.

—Ya me gustaría poder cantar así —dijo Buster.

Riley estaba callado y miraba el extremo del porche donde el sol había comido un brillante cuadrado a la sombra, atrapando una mariposa que revoloteaba en su brillo.

—¿Qué harías tú si tuvieras alas? —dijo.

—Carambolas, volaría como un águila. No pararía de volar hasta que estuviera a un millón, un billón, un trillón, a una porrada de millones de millas de este viejo pueblo.

—¿Adónde irías, tío?

—Al norte, a lo mejor a Chicago.

—Tío, si yo tuviera alas nunca me posaría.

—Yo tampoco. Coño, con alas uno puede ir a cualquier sitio, hasta subir al sol si no estuviera tan caliente...

—... Yo iría a Nueva York...

—Hasta las mismas estrellas...

—O a Detroit, Michigan...

—Coño, podría conseguir algo del queso de la luna y leche de la Vía Láctea.

—O a un sitio donde los de color fueran libres...

—Apuesto lo que sea a que yo rizaría el rizo como un avión...

—Y paracaídas...

—Aterrizaría en África y agarraría unos diamantes...

—Sí, y los caníbales te comerían vivo, además —dijo Riley.

—Ni lo pienses, no con lo rápido que vuelo...

—Tío, te atrapan y te clavan unas lanzas muy largas en el culo —dijo Riley.

Buster se rió mientras Riley sacudía gravemente la cabeza.

—Chico, ibas a parecer un acerico negro cuando te echasen mano —dijo Riley.

—Chorradas, tío, no me cogerían, esos mamones son demasiado perezosos. El libro de geografía dice que son la gente más vaga del mundo entero —dijo Buster, con desagrado—. ¡Negros y vagos!

—Nada de eso, no son ninguna de las dos cosas —explotó Riley.

—¡Claro que sí! ¡Lo dice el libro de geografía!

—Bueno, pues mi viejo dice que no.

—Entonces, ¿cómo es que no lo son?

—Porque mi viejo dice que allí tienen reyes y diamantes y oro y marfil, y si tienen todas esas cosas, entonces todos no pueden ser unos vagos —dijo Riley—. No hay mucha gente de color que aquí tenga esas cosas.

—Claro que no, tío. Los blancos no los dejan —dijo Buster.

Era agradable pensar que no todos los africanos eran unos vagos. Trató de recordar todo lo que le habían contado de África mientras miraba una paloma púrpura que bajó volando a la calle y rascaba donde había pasado un caballo. Entonces, cuando recordaba un cuento que le había contado la maestra, vio un coche que avanzaba rápidamente calle arriba y la paloma desplegó las alas y se alzó fácilmente en el aire, rozándose con el techo del coche en su vuelo lento, oscilante. La vio alzarse y desaparecer donde los tensos cables del teléfono cortaban el cielo por encima del bordillo. Buster se sentía bien. Riley dibujaba sus iniciales en la tierra blanda con su enorme dedo gordo del pie.

—Riley, tú sabes que los de África no son vagos de verdad —dijo.

—Ya sé que no lo son —dijo Riley—. Sólo te lo dije a ti.

—Sí, pero mi maestra también me lo dijo. Nos contó cosas de uno de esos tipos africanos que se llamaba Toussan que según ella ¡le zurró la badana a Napoleón!

Riley dejó de escarbar en la tierra y alzó la vista, poniendo los ojos en blanco con desagrado.

—¿Cómo te las arreglas para decir tantas mentiras?

—Es lo que ella dijo.

—¿Dijo que era *africano*?

—Por éstas, tío.

—¿De verdad?

—De verdad, tío. Ella dijo que era de un sitio que se llamaba Haití.

Riley miró con dureza a Buster y, viendo la seriedad de su cara, notó la emoción de un cuento surgir dentro de él.

—Buster, apuesto lo que quieras a que dices mentiras. ¿Qué dijo la maestra?

—De verdad, tío, dijo que Toussan y sus hombres subieron a una de esas montañas de África y echaron abajo a esos soldados como pavos reales cuando intentaron subir...

—¿Cómo? ¡Dios todopoderoso! —exclamó Riley.

—Oye, tío, ¡los echaron abajo! —repitió Buster, con sonsonete.

—¡Dime cómo, tío!

—Y los echaron de la montaña...

—... ¡Bueeeno!...

—... Y Toussan los hizo cruzar la arena...

—... ¡Sí! ¿Y qué ropa llevaban, Buster?...

—Tío, llevaban uniformes rojos y gorros azules con galones dorados y tenían unas espadas todas brillantes, lo que llamaban cimitarras de Damasco...

—¡Cimitarras de Damasco!...

—... ¡Las llevaban de verdad! —aseguró Buster.

—¿Y qué tipo de cañones?

—¡Un cañón negro, grandísimo!

—¿Y hasta dónde los mandó ese que dices?

—Se llamaba Toussan.

—¡Tuzan! Justo igual que Tarzán...

—¡No Tarzán, idiota, Tou-zan!

—¡Toussan! ¿Y dónde los mandó Toussan?

—Hasta el agua, tío...

—... Al agua del río...

—... Donde había unos barcos muy grandes esperando por ellos...

—... ¡Sigue, Buster!

—Y Toussan disparó a los barcos...

—... Los disparó...

—... disparó a los barcos.

—¡Dios santo!

—... con sus grandes cañones...

—... ¡Eso mismo!...

—... armó un gran follón...

—... Vaya follón...

—... y sus grandes cañones negros empezaron a matar pavos reales...

—... Señor, Señor...

—... Chico, hasta los pavos reales gritaban: *Por favor, por favor, Mister Toussan, ¡sea bueno!*

—¿Y qué les dijo Toussan, Buster?

—Chico, les dijo con su voz profunda: *Debería hundiros a todos, hijoputas.*

—¿Y qué dijeron los pavos reales?

—Dijeron: *Por favor, por favor, por favor, Mister Toussan...*

—... Sea bueno —interrumpió Riley.

—Eso mismo, tío —dijo Buster, entusiasmado. Batió palmas y golpeó con los talones en el suelo, su cara negra resplandeció con una ráfaga de alegría rítmica—. ¡Chico!

—¿Y entonces qué les dijo Toussan?

—Dijo con su potente voz profunda: *Será mejor que vosotros, pavos reales, seáis buenos, porque os habla el Dulce Papá Toussan, ¡y mis negros están locos por carne blanca!*

—¡Jo, jo, jo! —Riley se partía de risa. El ritmo todavía latía en su interior y quería que la historia continuara y continuara...—. Buster, tú sabes que la maestra no te contó esa mentira —dijo.

—Sí contó eso, tío..

—¿Dijo de verdad que había un tipo como ése que se llamaba a sí mismo el Dulce Papá Toussan?

La voz de Riley era incrédula, y había una expresión triste en sus ojos que Buster no podía entender. Finalmente bajó la cabeza y sonrió.

—Bien —dijo—. Apuesto lo que sea a que Toussan dijo eso. Ya sabes cómo son las personas mayores, no pueden contar bien una historia si no son viejos de verdad, como la abuela.

—Claro que no pueden —dijo Riley—. No saben cómo hacer que parezca auténtica.

Riley se levantó, con las piernas muy separadas, y metió los pulgares en el peto de sus pantalones, balanceándose siniestramente.

—Vamos, ahora fíjate en mí, Buster. Apuesto lo que sea a que el viejo Toussan los miró, a los blancos, puesto de pie justo así y dijo con una voz tranquila: *¿No os he suplicado a vosotros, blancos, que dejaseis de meteros conmigo?*

—Eso mismo, que dejaran de meterse con él —repitió Buster.

—Pero nada, todos habéis seguido igual...

—... Sólo porque eran negros...

—Eso mismo —dijo Riley—. Entonces el viejo Toussan se sentía tan mal y estaba tan enfadado que se le saltaron las lágrimas...

—... Estaba enfadado de verdad.

—Y entonces, tío, dijo con su potente voz maligna: *Malditos seáis, blancos, ¿cuándo vais a dejar en paz a los de color?*

—... Y estaba llorando...

—... Y Toussan dijo a los pavos reales: *Os he suplicado que dejarais de molestarnos...*

—... ¡Suplicado de rodillas!...

—Entonces, tío, Toussan se enfadó de verdad y se quitó el gorro y se puso a patearlo y las lágrimas le salían y dijo: *Todos venís hablándome de Napoleón...*

—Trataban de asustarle, tío...

—Dijo: *Me importa un pijo Napoleón...*

—... No lo había estudiado...

—... Toussan dijo: *¡Napoleón no es más que un hombre!* Luego Toussan sacó su espada brillante así, y la blandió junto al cuello de los pavos reales con tanta fuerza que cortaba el aire.

—No te pares ahora, termina, tío —dijo Buster—. ¿Qué les hizo después Toussan?

—Luego ya sabes lo que hizo, dijo: *¡Debería arreglaros las cuentas, pavos reales!*

—Eso mismo, y se las arregló —dijo Buster. Se puso de pie de un salto y arremetió violentamente contra cinco soldados imaginarios desesperados, atravesando a cada uno con su espada imaginaria. Buster le miraba desde el porche, sonriendo.

—¡Toussan debe de haberles dado un susto de muerte a esos blancos!

—Sí, así fue más o menos —dijo Buster. El ritmo ahora se estaba apagando y se volvió a sentar en el porche, respirando cansinamente.

—Sí que es una buena historia —dijo Riley.

—Claro, tío, todas las historias que cuenta la maestra son buenas. Es una buena maestra... pero ¿sabes una cosa?

—No, ¿cuál?

—Ninguna de esas historias está en los libros. ¿Sabes por qué?

—Coño, tú sabes por qué. El viejo Toussan fue demasiado duro con los blancos, por eso.

—¡Ah, era un hombre duro!

—Era malo...

—¡Pero un malo bueno!

—Toussan era honrado...

—... Era un malo bueno, honrado —dijo Riley.

—Oye, tío, era el mejor —dijo Buster.

—¡¡Riiiley!!

Los chicos interrumpieron inmediatamente la charla, con la boca muy abierta.

—¡Riley, ya te lo dije! —era la voz de la madre de Riley.

—¿Mamá?

—Debe de habernos oído decir palabrotas —susurró Buster.

—Cierra la boca, tío... ¿Qué quieres, mamá?

—Te dije que quiero que vayáis al jardín de atrás a jugar. Aquí no dejáis de armar lío. Los blancos dicen que molestamos al vecindario cuando nos trasladamos aquí y vosotros estáis demostrando que tienen razón. Ahora idos atrás.

—Oye, mamá, sólo estábamos jugando, mamá...

—Chico, ya te dije lo que tenías que hacer.

—Pero, mamá...

—¡Ya me oíste, chico!

—Sí, señora, ya vamos —dijo Riley—. Ven, Buster.

Buster le siguió lentamente, notando el rocío bajo los pies según andaba por la hierba en sombra.

—¿Qué más hizo, tío? —dijo Buster.

—¿Quién? ¿Rogan?

—¡Carambolas, no! Estoy hablando de Toussan.

—No tengo ni idea, tío... pero se lo voy a preguntar a la maestra.

—Era un pistolero de mucho cuidado, ¿no, tío?

—No aguantaba tonterías —dijo Riley, como para sí mismo. Ahora pensaba en otras cosas, y cuando avanzaba, deslizaba los pies cómodamente por la hierba recortada, bailando mientras cantaba:

El acero es acero,
Y la hojalata es hojalata,
Y así es como es
La historia...

—Venga, vamos, tío —interrumpió Buster—. Vamos a jugar al camino.

Y así es como...

—A lo mejor podemos entrar sin que nos vean y llevarnos algunas cerezas.

... termina la historia —cantó Riley.

New Masses, 4 de noviembre de 1941

Una tarde

Los dos chicos estaban parados al fondo de un solar vacío mirando un poste telefónico. Los cables pasaban de un poste al siguiente y su cobre resplandecía al sol de verano. Destellos de luz verde salían disparados desde los aislantes de cristal del poste cuando miraron los chicos.

—Raro que no haya pájaros en ellos, ¿eh?

—Llevan mucha electricidad. Puede oírse cómo zumban de la que llevan.

Riley irguió la cabeza, escuchando.

—¿Es lo que hace ese ruido? —dijo.

—Claro, tío. Igual que si pegas el oído a una vía del tren puedes decir si vienen trenes. Ni siquiera tienes que mirar —dijo Buster.

—Eso mismo, yo ya lo sabía.

—¿Por qué tendrán esas cosas de cristal ahí?

—Para que a los chicos que trepan ahí no los deje tiesos, creo.

Riley percibió el olor a creosota de la pintura negra del poste mientras sus ojos recorrían su rugosa superficie.

—¡Están más altos que la madre que los parió! —dijo.

—No tan altos, apuesto lo que sea a que le doy a ese cristal de ahí arriba.

—Buster, eres un trolero. Tú no puedes darle a ese cristal, está demasiado alto.

—¡Claro que puedo! Dame una piedra.

Miraron lentamente el suelo reseco, buscando una piedra.

—Aquí hay una buena —gritó Riley—. Una piedra como un huevo.

—Tírala aquí, y fíjate cómo el viejo Lou Gehrig alcanza la primera base.

Riley hizo un lanzamiento de béisbol. La piedra llegó alta y rápida. Buster estiró el brazo para alcanzarla y dio un paso atrás con la pierna derecha, tocando base.

—¡Y llega a la primera! —gritó.

—Lo has hecho estupendamente —dijo Riley.

—Fíjate en esto.

Riley miró cuando Buster echaba el brazo hacia atrás y apuntaba al aislante con la mano izquierda. Su cuerpo hizo un giro y la piedra voló hacia arriba.

¡Crack!

Llovieron trozos de cristal verde.

Permanecieron en jarras, mirando a su alrededor. Un pájaro les riñó. Un cuervo. Nadie les gritó y rieron nerviosamente.

—¿Qué te dije?

—¡Maldita sea! Nunca creí que pudieras hacerlo.

—Será mejor que ahuequemos el ala por si acaso lo vio alguien.

Riley miró alrededor:

—Vámonos.

Salieron al camino.

Pollos acurrucados en la tierra fresca a la sombra de un árbol. Los dos chicos corrieron fuera de la vista de una mujer que apilaba desperdicios en el patio siguiente. Una hilera de cercas recorría el camino, por delante de garajes y retretes al aire libre. Caminaban con cuidado, evitando las piedras y los cristales, por el suelo caliente con los pies descalzos. El camino olía a polvo y a la árida acritud de las hojas secas.

Buster agarró un palo y revolvió las hierbas de detrás de un garaje despintado. Levantó polvo, que le hizo estornudar.

—Buster, ¿qué coño estás haciendo?

—Buscando bebida, tío.

—¿Buscando *bebida*?

—Claro, tío —se interrumpió, señalando—. ¿Ves esa casa de la esquina?

Riley vio la parte de atrás de una pequeña casa verde con una barandilla de tubos de zinc en el porche.

—Sí, la veo —dijo.

—Ahí viven contrabandistas de bebida. La esconden aquí entre estas hierbas. Chico, una noche la pasma hizo una redada y sacaron de ahí cántaros y toda la pesca.

—¿Cántaros?

—¡Coño, claro!

—¡Oye! ¿Y los de la pasma les echaron el guante?

—No, coño, la tiraron toda por el retrete. Tío, apuesto lo que sea a que todos los peces del río Canadian se emborracharon.

Se rieron ruidosamente.

Buster volvió a rebuscar en las hierbas, luego se interrumpió:

—Parece que aquí no hay nada.

Miró a Riley. Riley sonreía para sí mismo.

—Chico, ¿qué te pasa?

—Buster, todavía pienso en esa bebida tirada por el retrete. ¿Sabes una cosa? Cuando yo era pequeño y me sentaban en el asiento, a veces pensaba que el diablo estaba allí abajo fumando un puro. Me daba miedo sentarme. Tío, una vez mi vieja armó la de Dios porque yo no me quería sentar.

—Estás loco, tío —dijo Buster—. ¿No te dije que estabas loco?

—Es verdad —dijo Riley—. A veces creía eso.

Se rieron. Buster pasaba el palo por la parte de arriba de la hierba. Una gallina cacareó en el patio de detrás de la cerca junto a la que se desplazaban. El sonido de alguien que hacía escalas en un piano les llegó. Anduvieron más despacio.

La estrecha carretera por la que cruzaba el camino estaba cortada con rodadas resecas de carreta, el centro incrustado de trozos de cristal roto.

—¿Adónde vamos? —preguntó Buster. Riley empezó a cantar:

—Me encontré con el señor Conejo
junto a la planta de guisantes…

Buster se le unió:

—Y le pregunté adónde iba.
Mira, dijo él: Vete a la mierda,
Y liquidó mi planta de guisantes.

Buster se detuvo de repente y se tapó la nariz.

—¡Fíjate en ese gato muerto!

—Mi madre no me lo dará para cenar.

—¡La mía tampoco!

—Mejor escupes encima de él, si no lo tendrás para cenar —dijo Buster.

Escupieron en el cuerpo lleno de gusanos, y siguieron.

—Siempre hay muchos gatos muertos en el camino. ¿Sabes por qué?

—Los cazan los perros, supongo.

—Una vez mi perro comió tantos gatos, que se volvió loco y murió —dijo Riley.

—No me gustan los gatos. Son demasiado astutos.

—¡Vaya si apesta!

—Estoy aguantando la respiración.

—¡También yo!

Pronto dejaron atrás el olor. Buster se detuvo, señalando.

—Fíjate en las manzanas de ese árbol.

—¡Son grandes las puñeteras!

—Claro, vamos a coger unas cuantas.

—No, te soltarán las tripas. Están demasiado verdes.

—Me arriesgaré —dijo Buster.

—¿Crees que habrá alguien en la casa?

—Coño, no tenemos que cruzar la cerca. Mira, algunas cuelgan sobre el camino.

Se subieron a la cerca y miraron el terreno. La tierra de debajo de los árboles estaba sin hierba y húmeda. Más cerca de la casa la hierba estaba corta y cuidada. Unas losas que salían del garaje hacían un dibujo en la hierba.

—¿Viven blancos ahí?

—No, gente de color. Los blancos se marcharon cuando nosotros nos trasladamos a la zona —dijo Buster.

Alzaron la vista al árbol: el sol atravesaba las hojas y las manzanas brillaban verdes colgando de las ramas oscuras. Una libélula pasó zumbando en un vuelo largo, curvo. Había silencio y hacia el sur oían el tam, tam, tam de los pozos de petróleo que bombeaban. Buster se apartó de la cerca, y mantuvo el palo preparado.

—Ahora ten cuidado —dijo Buster—. Podrían caer en la maleza.

El palo arrancó unas hojas. Una manzana hizo ruido en las ramas, cayendo al suelo en el interior de la cerca.

—¡Maldita sea!

Alzó el palo y probó de nuevo. Las hojas se agitaron; Riley agarró una manzana. Otra cayó cerca de los pies descalzos de Buster. Éste miró la manzana de Riley.

—¡La mía es mayor! De todos modos te da miedo comerlas.

Riley le miró un momento, haciendo rodar la manzana entre las palmas de las manos. Había una mancha roja en el verde de la manzana.

—No me importa —dijo, finalmente—. Te la doy.

Le lanzó la manzana a Buster con un movimiento de béisbol. Buster la agarró y tocó la primera base con el dedo gordo del pie.

—¡Alcancé la primera!

—Larguémonos.

Anduvieron junto a la cerca, con las hierbas golpeándoles en las delgadas piernas. Un pájaro carpintero tamborileó en un poste telefónico.

—Me voy a acordar de ese árbol. Dentro de poco las manzanas estarán maduras.

—Sí, pero *ésta* no está madura —dijo Riley. Buster se rió cuando vio que Riley torcía el gesto.

—Necesitamos sal —dijo.

—Tío, ¡maldita sea! El manantial tampoco servirá para nada con esta manzana.

Buster se rió y con el palo bateó una lata contra la cerca. Un perro gruñó y olfateó al otro lado. Buster le devolvió el gruñido y el perro fue ladrando a lo largo de la cerca según ellos pasaban.

—Fastídiate, Rin Tin Tin, fastídiate —gritó Riley.

Buster ladró. Dejaron atrás la cerca con el perro todavía ladrando a sus espaldas.

Buster dejó el palo y sopesó la manzana cuidadosamente en la mano. Riley lo miraba.

—Mira, así es como se lanza la pelota con efecto —dijo Buster.

—¿Cómo?

—Así: estos dos dedos de este modo; pones el pulgar de este modo, y dejas que los dedos se deslicen de este modo.

Riley agarraba la manzana según Buster se lo demostraba; luego la lanzó. La manzana recorrió el camino en línea recta y de repente dobló a la derecha.

—¡Fíjate! ¿Ves el efecto? Así es como se hace. La mandas directamente alrededor del cuello del bateador.

Riley estaba sorprendido. Hizo una mueca y sus ojos cayeron admirados en Buster. Buster corrió y agarró la manzana.

—¿Ves? Ése es el modo de hacerlo.

Templó el tiro y lanzó; la manzana zumbaba al recorrer el aire. Riley la vio viniendo hacia él y de repente adquirió efecto. Cayó detrás de él. Sacudió la cabeza, sonriendo.

—¿Buster?

—¿Qué?

—Chico, eres el negro que mejor lanza que haya visto nunca. A ver si le das a ese poste de allí lejos, ese que hay junto a la cerca.

—¡Coño, tío! Debes de creer que soy Schoolboy Rowe o alguien así.

—Venga, Buster, le puedes pegar.

Buster dio un mordisco a la manzana y masticó mientras estiraba el brazo. Luego, súbitamente, se dobló y lanzó directo, con el pie izquierdo separándose del suelo y la mano derecha saliendo disparada hacia delante.

¡Clonk!

La manzana pegó en el poste y se hizo trozos.

—¿Qué te dije? Maldita sea, esa manzana se parte como cuando pegas un tiro a una codorniz con una escopeta.

—Eso es lo que se llama puntería —dijo Buster.

—No sé cómo lo llamas tú, pero tampoco me gustaría que me tirases piedras —dijo Riley.

—Todavía no has visto nada. Si quieres ver cómo se lanza sólo tienes que esperar a que pasemos por los terrenos cuando vayamos a bañarnos al lago Goggleye. Tío, los negros de allí pueden lanzar botellas de Coca-Cola con tanta fuerza que se rompen en el aire.

Riley se dobló, riéndose.

—¡Buster, será mejor que no digas tantas mentiras!

—No digo mentiras, tío. Pregúntale a quien quieras.

—¡Chico, chico! —Riley se reía. Se le acumuló saliva en las comisuras de la boca.

—Ven a mi casa para sentarnos al fresco —dijo Buster.

Doblaron una esquina y recorrieron un breve trecho de hierba delante de una casita gris. Corría brisa en el porche; a Riley le olió a limpia y fresca. Las tablas de madera del porche estaban blancas debido a los fregados. Buster recordó a su madre restregando el porche con trapos de los vestidos que ya no usaba. Trató de olvidar aquellos trapos.

Una mosca zumbaba delante de la puerta de tela metálica. Riley se dejó caer en el porche, con los pies descalzos colgando.

—Espera un momento mientras veo qué hay de comer —dijo Buster.

Riley se dejó caer hacia atrás y se tapó los ojos con el brazo.

—Muy bien —dijo.

Buster fue adentro, apartando las moscas de la puerta. Oyó a su madre ocupada en la cocina mientras atravesaba la casita. Estaba delante de la ventana, planchando. Cuando él entró en la cocina, volvió la cabeza.

—Buster, ¿dónde has estado, zascandil? ¡Ya sabías que te necesitaba aquí para que me ayudases con los cubos!

—Estaba con Riley, mamá. No sabía que me necesitabas.

—¡No lo sabías! Señor, no sé por qué tengo un hijo como tú. Me despellejo las manos para que estés decente y así me lo agradeces. ¡No lo sabías!

Buster se quedó callado. Siempre era así. Quería ayudar; siempre quería hacer lo que debía, pero siempre se interponía algo.

—Bueno, ¿qué haces ahí parado como una mosquita muerta? Ya he terminado. Vete a jugar.

—Sí, señora.

Se dio la vuelta y salió lentamente por la puerta de atrás.

El gato frotó el lomo contra su pierna cuando él salía al porche, andando con cuidado sobre las tablas recalentadas por el sol. El suelo de alrededor de los escalones todavía estaba húmedo y blanco donde su madre había pasado los trapos. Un arroyo de agua goteaba rápidamente desde la boca de riego, dispersando plata a la luz del sol. De repente se acordó de por qué había entrado en casa. Se detuvo y gritó:

—Mamá...

—¿Qué quieres?

—Mamá, ¿qué tenemos para cenar?

—Señor, Señor, lo único en lo que piensas es en comer. No lo sé. Vuelve aquí y prepárate unos huevos si tienes hambre. Estoy demasiado ocupada para pararme... ¡y por el amor de Dios, déjame en paz!

Buster dudó. Tenía hambre pero no podía estar cerca de su madre cuando ella estaba en aquel plan. Siempre era así cuando algo le iba mal con los blancos. Su voz había sido como una bofetada.

Rodeó lentamente la casa. El polvo era espeso y caliente bajo sus pies. Al bajar la vista, se fijó en un
algodoncillo de entre los dedos de sus pies y vio
que el tallo verde sangraba lentamente una savia
blanca sobre la tierra marrón. Un pequeño glóbulo
de leche le brillaba en el dedo, y cuando se dirigía a
la parte delantera de la casa hundió el pie en el polvo seco y la savia dejó una manchita en el polvo.

Se dejó caer al lado de Riley.

—¿Tomaste algo tan rápido? —preguntó
Riley.

—No, mi madre está enfadada conmigo.

—No le hagas caso, tío. Mis padres siempre están encima de mí. Creen que lo único que
hay que hacer es lo que quieren ellos. Deberías estar contento de no tener un viejo como el mío.

—¿Es muy malo?

—¡Mi viejo es tan malo que se odia a sí
mismo!

—Mi madre es bastante mala. Los blancos
para los que trabaja hacen que se enfade y me la
cargo yo.

—A mi viejo le pasa lo mismo. Chico, ¡y
cómo pega! Una noche volvió a casa de trabajar
y se puso a pegarme en el culo con un trozo de
cable de la electricidad. Pero mi vieja no dejó que
siguiera. Le dijo que no me pegase.

—¿Por qué serán tan malos? —dijo Buster.

—No tengo ni puta idea. Mi viejo dice
que hoy en día no nos pegan bastante. Dijo que la
abuela los metía dentro de un saco de arpillera, lo
cerraba y los ahumaba, como hacen con los jamo-
nes. Así que iba a hacer eso conmigo. Pero mamá
no le dejó. Dijo: «No vas a tratar a un hijo mío co-

mo a un esclavo. Tu madre a lo mejor a ti te crió como a un esclavo, pero yo no lo voy a criar así y será mejor que no le toques ni un pelo». Y él tampoco me lo tocó. ¡Tío, qué contento me puse!

—¡Maldita sea! Estoy contento de no tener viejo —dijo Buster.

—Espera hasta que me haga mayor. Chico, voy a ajustarle las cuentas a mi viejo. Voy a aprender a boxear como Jack Johnson, así le podré zurrar la badana.

—Jack Johnson, ¡el primer hombre de color campeón del mundo de los grandes pesos! —dijo Buster—. ¿Dónde estará ahora?

—No lo sé. En el norte, en Nueva York, supongo. ¡Pero apuesto lo que sea a que donde está nadie se mete con él!

—¡Tienes razón! Le oí decir a mi tío Luke que Jack Johnson era mejor boxeador que Joe Louis. Dijo que tenía un movimiento de piernas tan rápido como el de un gato. ¡Tan rápido como un gato! Fíjate, tiras a un gato desde el techo de una casa y aterriza de pie. Hay que ver, ¡apuesto lo que sea a que tiras un gato desde el cielo y el hijoputa aterrizaría de pie!

—Mi viejo siempre canta:

Si no hubiera sido
por el árbitro
Jack Johnson habría matado a
Jim Jeffries.

Dijo Riley.

La tarde se hacía vieja. El sol colgaba bajo en un cielo sin nubes y pronto se perdería detrás de la franja de árboles del otro lado de la calle. Soplaba un ligero viento y las hojas de los árboles temblaban al sol. Ahora estaban callados. Una avispa negra y amarilla voló por debajo del alero, zumbando. Buster la siguió con la vista hasta que desapareció dentro de su avispero, luego se apoyó en los codos y cruzó las piernas, pensando en Jack Johnson. Una puerta se cerró con fuerza en algún punto calle abajo. Riley estaba tumbado a su lado, silbando entre dientes.

American Writing, 1940

Si yo tuviera alas

Riley clavaba la vista en el melocotonero, los ojos muy abiertos de expectación. Allí mismo, justo donde los capullos rosas habían brotado en los pegajosos brotes, una mamá petirrojo estaba enseñando a volar a un pequeño petirrojo. Primero la mamá pájaro volaba un momento y gorjeaba al joven pájaro para que la siguiera. Pero el pajarillo no se quería mover. Entonces la mamá pájaro volvía volando y picoteaba al jovenzuelo, haciendo círculos alrededor y trataba de empujarlo fuera de la rama, y el pajarito se agarraba, asustado.

Lánzate, por qué no vas y pruebas, pensó Riley. Vamos, pajarito. No tengas miedo. Pero el pequeño petirrojo seguía allí posado agitando las alas y piando. Entonces Riley vio que la petirrojo mayor volaba a un árbol cercano. Ves eso, se ha marchado y se ha enfadado contigo, pensó. Venga, apuesto lo que sea a que yo podría hacer que volaras. Se disponía a tumbarse en el porche al lado de Buster, cuando de repente vio que el joven petirrojo batía sus torpes alas y saltaba. Contuvo la respiración. El pájaro hizo esfuerzos en el aire, batió las alas, cayendo; batía las alas furiosamente cerca del suelo. Riley se sobresaltó. Pero allí estaba el pajarito, tratando de elevarse y volar torpemente, subir a donde la mamá pájaro gorjeaba en el árbol.

Riley se volvió a sentar. Estaba contento.

—Me has engañado —le susurró al joven petirrojo—. No estabas asustado de verdad. Sólo que no quieres que los mayores se metan en tus cosas —estaba muy contento. De pronto se puso tenso. Voy a conseguirme un pájaro y enseñarle a volar, decidió. Entonces, cuando se volvía para despertar a Buster y decírselo, éste se movió y abrió los ojos.

—Tío, vamos a hacer algo —dijo Buster con su voz ronca—. ¿Por qué no puedes ir a ninguna parte?

Los ánimos de Riley se hundieron. Lo había olvidado.

—Verás, porque alguien contó que perseguimos esas palomas de mala sombra de la iglesia, y mamá dijo a tía Kate que no me dejara salir del terreno.

—Carajo, las palomas no son de la iglesia —dijo Buster—. Sólo viven allí. Nadie es dueño de ellas. ¡Ya me gustaría poder comer la carne de esos pájaros ahora mismo!

Riley buscó con la vista al petirrojo, viendo que batía las alas en un árbol alejado, y quedó lleno de una extraña soledad. Si no tuviera que quedarme aquí, pensó, iríamos a buscar un pájaro.

Buster se levantó.

—Creo que me voy a ir, tío. Me apetece hacer algo.

—Oye, no te marches —rogó Riley—. Se nos ocurrirá algo que hacer... ¡Mira! —dijo desafiante, con una repentina inspiración—. ¡Apuesto a que no sabes estos versos!

—¿Cuáles?

—Éstos:

—Si yo fuera el presidente
De estos Estados Unidos.
Dije que si yo fuera el presidente
De estos Estados Unidos
Tomaría estupendas tabletas de chocolate
Y abriría y cerraría las puertas de la Casa Blanca...
Estupendo... Dios todopoderoso, tío...
¡Abriría y cerraría las puertas de la Casa Blanca!

—¡¡¡Riley!!!

Se quedó con la boca muy abierta. Tía Kate estaba parada a la sombra de la entrada; la arrugada cara le temblaba de enfado.

—¡Te voy a arreglar yo, claro que sí! ¡Has tomado el nombre del Señor en vano!

Él movió los pies, sin habla.

—Y tú hablabas de ser el presidente, ¿eh? ¡Sabes perfectamente que tu madre no te ha enseñado esas cosas! Será mejor que lo tengas en cuenta, claro que sí, antes de meterte en problemas. ¿Qué crees que le pasaría a tu pobre madre si los blancos se enteran de que tiene un hijo negro que es tan insensato que habla de ser presidente?

—Sólo eran unos versos —tartamudeó Riley—. No quería hacer daño a nadie.

—Ya, ¡pero eran unos versos que son *pecado*! Al Señor no le gustan y a los blancos tampoco.

Echando una ojeada al joven petirrojo que volaba a un árbol de más lejos, trató de parecer sumiso.

—Perdona, tía Kate.

La cara de ella perdió dureza.

—Los chicos tenéis que aprender a vivir como es debido mientras sois jóvenes, así podréis vivir en paz cuando os hagáis mayores. O si no te estrellarás la cabeza contra un muro blanco todos los días que te queden. Si yo soy tan vieja como soy hoy día sólo es porque no dejo que esos pensamientos pecaminosos me den vueltas en la cabeza —frunció los labios con orgullosa convicción.

Riley la miró con los párpados caídos. Siempre era Dios, o los blancos. Ella siempre hacía que se sintiera culpable, como si hubiese hecho algo malo que él nunca podía recordar, pero que nunca le perdonaban. Como cuando los blancos te miraban por la calle. De repente la cara de tía Kate cambió de enfado amenazante a intensa dulzura, haciendo que Buster se sintiera cauteloso y confuso.

—Los niños tenéis que aprender algunas canciones del Señor —dijo, resplandeciendo. Cantó:

Cantemos toodos.
Si yo tuviera las alas de una paloma
Volaría hasta mi Jesús y
Descansaría...

—Es el tipo de canciones que tenéis que cantar los niños. Necesitas las alas del espíritu para poder atravesar este mundo. Venga, cantad conmigo.

Cantemos toodos...

Riley tenía el gaznate seco. El pequeño petirrojo ahora se perdía de vista volando. A Buster le pareció desvalido. Buster apartó la vista. Tía Kate hizo una pausa, con el rostro triste.

—M-m-me parece que no me apetece... bueno... cantar justo ahora, tía Kate —dijo él, con miedo.

—¡Conque ahora no te apetece! —explotó ella—. Si yo te estuviera enseñando alguna de esas basuras del demonio que estabas cantando, ¡te apetecería!

—P-p-pero no era una canción mala.

—¡Deja de decir tonterías! Ya veo que el demonio te tiene atrapado, ¡claro que sí! Date la vuelta y quítate de mi vista.

Él empezó a andar lentamente.

—Claro que te tiene. ¡Eres un apestoso hijo de Satanás! No haces caso de lo que digo. ¡Antes de que termine el día, te vas a meter en algún problema y yo tendré que enseñarte el temor de Dios a palos!

Él se fue, cruzando despacio el porche, y se metió en la sombra entre las dos casas.

—No me gustaría nada que ella me dijera esas cosas —susurró Buster—. Tío, ¡dicen que los viejos así siempre te dan mala suerte!

Riley se apoyó en la casa. No estaban mal esos versos; eran divertidos. Él mismo añadió lo de «estupendo-Dios-todopoderoso» por su cuenta, para que sonara mejor. ¡Coño! Tía Kate claro que era un problema... a lo mejor era demasiado vieja para entender a un hombre... había nacido allá en tiempos de la esclavitud. Lo único que sabe es ir a la iglesia todas las tardes y leer la Biblia y meterse con uno mientras mamá estaba trabajando en casa de los blancos durante el día. Está loca. Esa vieja canción. *Cantemos todos como si yo tuviera alas de paloma...* No era nada divertido cantar esa vieja canción.

De repente una sonrisa le floreció en la cara.

—Oye, Buster —susurró.

—¿Qué?

Cantó roncamente:

Si yo tuviera alas de paloma, tía Kate,
Me comería todos los caramelos, Señor,
Y derribaría la puerta de la Casa Blanca.

Buster sacó el labio inferior y frunció el ceño.

—Idiota, será mejor que dejes de hacer burlas con esa canción de la iglesia. Tía Kate dijo que eso era pecado.

La risa de Riley se hizo indecisa. A lo mejor Dios le castigaba. Se mordió el labio. Pero las palabras seguían dándole vueltas en la cabeza. Muchos versos. *Gracia asombrosa, qué dulce canción. Un sapo mandó a su abuela a un rincón.* Notó que la risa contenida se entrechocaba y daba vueltas en su interior, como unas grandes canicas azules. Esa parte de la «gracia asombrosa» era también de una canción de la iglesia. A lo mejor ahora le castigaban de verdad. Pero no podía contenerse más y se apoyó en la casa y rió.

—Tú sigue riéndote de esa canción de la iglesia y yo me pondré a buscar otros chicos con los que jugar —advirtió Buster.

—Oye, no me estaba riendo de eso —mintió Riley.

—¿Entonces de qué te estabas riendo?

—De... de ayer cuando me caí de la iglesia...

—¿Cuando perseguíamos esa carne que vuela?

—Eso mismo.

—Idiota, eso no fue divertido. Te pusiste a llorar. ¿Ya no te duele la cabeza?

Se tocó la cabeza.

—Sólo un poco —dijo.

—Apuesto a que te asustaste de verdad —dijo Buster.

—Qué coño asustado. Me sentí estupendamente.

—Chico, a ver si dejas de mentir, ¡si llorabas como una nenaza!

—Y dale, estoy diciendo *cuando* estaba cayendo. Lloré porque me di un golpe en la cabeza.

—Sólo quieres burlarte de mí —dijo Buster—. Casi te abres la cabeza.

—De verdad te lo digo, tío. Es como cuando los blancos saltan de los aviones en paracaídas.

—Sí, pero tú no tenías paracaídas —se burló Buster.

Riley anduvo hacia donde un rayo de luz dividía la sombra detrás de la casa.

—Tío, tú no sabes nada —dijo—. Vamos a ver los pollitos nuevos.

Llegaron a la cerca del gallinero y se apoyaron con cuidado en ella, mirando a su través. Había granos de maíz y migas dispersos, y la tierra dura tenía dibujos extraños donde habían escarbado las gallinas. Los pollos les miraron expectantes.

Riley señaló una nidada de polluelos peludos que corrieron debajo de una vieja gallina blanca.

—Hay unos pajaritos —gritó—. Son bonitos, ¿verdad, tío?

—¡Claro que lo son! —los ojos de Buster brillaban de placer.

—Y fíjate en todo el follón que montan esos pequeñajos.

—Coño, tío, están llorando. Lo mejor de todo es que lloran, como mi hermanito, Bubber.

—Mamá llora cuando está en la iglesia —dijo Riley—, y no es pequeña.

—Oye, eso es cuando grita, tío.

—Eso no me gusta nada —dijo Riley—. ¿Por qué se ponen a gritar?

—Porque notan el *espíritu*. Por eso.

—Bueno, ¿y qué es el espíritu?

—Idiota, ¡es el Espíritu Santo! Has ido a la escuela dominical.

Riley retorció los dedos gordos de los pies por entre la tela metálica.

—Bueno, lo único que sé es que el Espíritu Santo debe de hacer mucho daño, porque todos se ponen a llorar y hacen el tonto —dijo, finalmente.

—Mamá dice que cuando lloran es cuando se sienten bien —dijo Buster.

—Bueno, se sientan bien o no se sientan bien, cuando veo llorar a mamá y seguir en ese plan me da tanta vergüenza que me taparía la cara —dijo, muy tenso—. No me gusta nada que uno tenga que llorar porque se siente bien.

Vio dos pequeños polluelos que atravesaban el gallinero a toda velocidad, batiendo sus rechonchas alas y piando.

—¡Los pollos están locos! —gritó Buster—. ¡Fíjate en esos dos gallos idiotas de allí!

Riley los despachó con un movimiento despectivo de las palmas de las manos.

—Ésos no son gallos, tío. Hay un gallo *de verdad* ahí, más allá —dijo, señalando.

—¡Bendito sea Dios! ¡Ése debe de ser el gallo jefe!

—Lo es. Se llama Viejo Bill.

—¡Viejo Bill!

—Tío, y puede darle una paliza a cualquier cosa que tenga plumas —presumió Riley.

Buster silbó admirado. El brillo sedoso del plumaje rojo y verde oscuro del gallo onduló al sol. El Viejo Bill cloqueó a las gallinas y se pavoneó, con su roja cresta balanceándose con orgullosa dignidad.

—Fíjate en ese idiota —exclamó Buster—, sube y baja las patas como un predicador gordo.

—Y fíjate en los espolones que tiene —exclamó Riley—. ¡Fíjate en los espolones!

—¡Hay que ver! ¡Esas gallinas será mejor que tengan cuidado con ese idiota!

—Puede pelearse con ellas también, tío. Cuando alcanza con los espolones a otro pollo, lo manda a la tierra prometida.

El Viejo Bill cloqueó suavemente y las gallinas corrieron a donde escarbaba él.

—¡Tío, tío! ¡Es el gallo más pendenciero, el que más cacarea de todo el mundo entero!

De repente el gallo batió las alas y cacareó, se le hinchó el pecho y el cuello se le arqueó con el sonido.

—¡Escucha a ese desgraciado!

—¡Oye, Bill, canta!

—¡Tío, es como el pequeño Gabriel!

—Coño, ¡es el Louie Armstrong de los pollos!

—Tocando la trompeta dorada, Señor...

—Y diciéndoles a los otros gallos que será mejor que sean buenos...

—Porque él no va a aguantar tonterías...

—El Viejo Bill dice: *Decidles a todos los perros, y decidles a todos los gatos, que será mejor que sean buenos o lo pasarán mal* —canturreó Riley—, *porque el gran Viejo Bill llegó al pueblo.*

—No, no, tío... Es el Louie Armstrong de los pollos tocando *Agarra ese tigre...*

—Sí, diciéndole al tigre que no haga el tonto...

—Eso es, alcanzando la *pi* aguda...

—Tío, no hay *pi* en ninguna trompeta. Es *do re mi* —cantó Riley.

—Sí hay. Cuando Louie toca eso. Es *do re mi fa sol la si* ¡y *pi* también!

Se partieron de risa. El Viejo Bill arqueó el cuello y tragó, su pico agudo se abrió como las hojas curvas de unas tijeras.

Riley se tranquilizó.

—Mi viejo está orgulloso de verdad de ese gallo —dijo—. Si quieres que se enfade, sólo tienes que decirle que al Viejo Bill lo han atropellado. Claro que no se lo echo en cara, porque si yo muriese y volviera como pájaro, según dice tía Kate que le pasa a la gente, quiero ser exactamente como el Viejo Bill.

—Yo no —dijo Buster—. Yo no querría volver como pollo.

—¿Y cómo entonces? ¡El Viejo Bill es guapo y puede luchar como Joe Louis!

—Claro, ¡pero no puede volar!

—¿Cómo coño que no puede volar?

—¡Los gallos no pueden volar!

—¡Te lo voy a demostrar!

—Estás loco, Riley. ¿Cómo vas a demostrar que un gallo vuela?

—Fácil. Me subiré al techo del gallinero y tú me darás al Viejo Bill.

—Nada de eso —dijo Buster—. Nada de eso. Yo no voy a hacerlo con todos esos espolones que tiene.

Riley escupió con asco.

—Me pones enfermo.

—¿Sí? Bien, pues yo sigo sin querer hacerlo.

—Vale, sube tú al techo y te lo daré yo, ¿de acuerdo?

—De acuerdo. No creo que me pinche con los espolones cuando se aparte del suelo.

Riley miró furtivamente hacia donde tía Kate se sentaba habitualmente junto a la ventana de la cocina, luego entró en el gallinero, cerrando la puerta tras él.

—Date prisa, tío —gritó Buster desde el techo—. Aquí hace mucho calor.

—Dame tiempo —gritó Riley—. Sólo algo de tiempo.

Avanzó decidido hacia el Viejo Bill, rozándose contra la cerca. Las gallinas cacarearon. El Viejo Bill se apartó enfadado, con la cabeza dando rápidas sacudidas.

—Será mejor que tengas cuidado con ese idiota —gritó Buster.

—¿A quién se lo dices? *¡Ven aquí conmigo, Viejo Bill!*

Cuando estiró las manos, el enorme gallo cargó, con las plumas del cuello tiesas como una gola, las patas agitándose en el aire, soltando espolonazos. Riley se tapó la cara con el brazo.

—¡Agárralo con fuerza, tío!

Riley arremetió contra él, para agarrarlo. Se alzó polvo. El Viejo Bill se pegó al suelo y se apartó. Riley se lanzó, viendo que el Viejo Bill se apartaba dando saltos como un plumero que se hinchara.

—¿Qué te dije yo de este idiota? —dijo jadeando.

—Claro que no decías mentiras. *¡Cuidado con él!*

El ataque cogió a Riley desprevenido. Cayó patas arriba, golpeándose con fuerza contra el suelo. No podía respirar. El gallo se subió encima de él. Se protegió los ojos. El gallo clavó las patas, le picoteó la cara. Notó que un espolón le atravesaba la camisa, con la punta en sus costillas. Los malvados ojillos amarillos, los de la vieja tía Kate, bailaban siniestramente encima de su cara. Cuando su mano agarró la callosa pata, oyó que se le desgarraba la camisa e hizo presa, con el acre olor a plumas polvorientas calientes en su nariz. Jadeando, consiguió ponerse en pie con esfuerzo. El Viejo Bill daba fuertes tirones; las patas escamosas ásperas en sus manos, el afilado pico que soltaba navajazos.

—¡Sujétalo hasta que yo baje ahí! —gritó Buster.

—Coño, ahora casi lo tengo —dijo, jadeante. Mantuvo el gallo por encima de su cabeza, tratando de protegerse la cara de las alas que azotaban con fuerza. De repente consiguió sujetar las alas del Viejo Bill a los lados e hizo un gran esfuerzo, arqueando el cuerpo hacia atrás, y mandó al gallo al otro lado del corral. El aire se llenó de polvo cuando el Viejo Bill aterrizó patinando. Riley se dio la vuelta estornudando y corrió a la portezuela; luego se detuvo. El gallo se sacudía el polvo de las alas. Sin dejar de mirarlo con el rabillo del ojo, Riley anduvo despacio, con cuidado, para que Buster no pensara que tenía miedo. Ante él la vieja gallina protegía a su nidada, quitándola de su camino. Respondiendo a un impulso súbito, Riley se abalanzó sobre dos de los polluelos y salió rápidamente al exterior de la portezuela.

—Idiota, será mejor que no vuelvas a entrar ahí —le advirtió Buster.

—Yo no tengo miedo como tú —se burló. Pero era un alivio estar fuera.

—Agarra éstos —gritó, cuando empezaba a trepar al techo.

—¿Cuáles?

—Oye, agárralos sin miedo. Estos pequeños no te clavarán el espolón.

Buster se agachó y agarró a los pollos amarillos con sus cortos dedos marrones.

Riley se elevó de un salto, alcanzando el techo que caía oblicuamente. Una hilera de hormigas marrones corrió bajando nerviosamente las tablas grises del techo recalentadas por el sol. Él se subió con cuidado, poniendo manos y rodillas de modo que no aplastaran las hormigas. Una vez arriba, agarró los polluelos que piaban y los colocó cuidadosamente dentro de su desgarrada camisa. Eran suaves, como bolas de algodón.

—Los vas a asfixiar, tío —dijo Buster.

—No, no los asfixiaré. ¿Ves? Ya no protestan.

—Ellos no, pero su madre no para. Fíjate cómo protesta.

—No le hagas caso. Siempre está cacareando. Es igual que tía Kate —dijo él.

—Deja que sujete a uno de esos pequeños, ¿me oyes, Riley?

Riley dudó, luego le entregó uno a Buster.

—Si no tuvieras tanto miedo, tú mismo podrías haber agarrado uno —dijo.

—Fíjate en éste, Riley. ¡Está muy asustado sin su madre!

—Sí, claro. No tengas miedo, polluelo —dijo cariñosamente Riley—. Seremos amigos.

—A lo mejor aquí hace demasiado calor. A lo mejor sería mejor llevarlos abajo —dijo Buster.

—¡Ah, sí! ¡Podemos enseñar a estos desgraciados a que vuelen!

—Nunca he visto volar a un polluelo —dijo Buster, escéptico.

—Bien, pues casi tienen el tamaño de una abubilla —dijo Riley.

—Pero no tienen las alas tan grandes como una abubilla.

—Coño, es verdad —dijo Riley, decepcionado. Si tuvieran las alas sólo un poco mayores... como el pequeño petirrojo, pensó.

—¡Oye! ¡Fíjate en lo que hace el mío! —gritó Buster.

Riley vio que Buster colocaba el polluelo encima de su pierna y el polluelo doblaba las alas como para saltar desde el techo.

—Está intentando volar —gritó—. Estos pequeñajos quieren volar ¡y todavía no tienen las alas lo bastante fuertes!

—Tienes razón —estuvo de acuerdo Buster—. ¡De verdad estaba intentando volar!

—Voy a *hacer* que vuelen —dijo Riley.

—¿Cómo, tío?

—¡Con un paracaídas!

—Oye, no hay paracaídas tan pequeños.

—Claro que los hay. Haremos uno con un trapo y algo de cuerda. Entonces estos pequeñajos bajarán con su madre —dijo Riley, imitando con la mano una hoja que cae.

—¿Y si se hacen daño y tía Kate se lo cuenta a tu madre?

Riley miró hacia la casa. Tía Kate no estaba a la vista. Miró a los polluelos.

—Oye, lo que pasa es que tienes miedo —se burló de Buster.

—Nada de eso, yo no lo tengo. Sólo que no quiero que se hagan daño, eso es todo.

—No se harán daño, tío. Les gustará. A todos los pájaros les gusta volar, tío, hasta a los pollos. ¡Fíjate en aquello! —se interrumpió, señalando.

Una bandada de palomas hacía círculos en torno a una lejana chimenea de ladrillo, reflejando el sol con sus alas.

—¿Y eso qué, tío?

—Pero ésas son *palomas*, Riley...

—Eso no importa —dijo Riley, haciendo dar saltitos suaves al polluelo en la palma de su mano—. ¡Conseguiremos que bajen y bajen y bajen y bajen!

—Pero no tenemos ningún trapo —protestó Buster.

Riley se inclinó, agarrando la tela por donde el Viejo Bill había desgarrado su camisa, la tensó y la arrancó. Alzó triunfante el trozo azul ante la cara de Buster.

—¡Aquí tienes el trapo, aquí mismo!

Buster se echó hacia atrás.

—Pero no tenemos cuerda.

—Yo tengo cuerda —dijo Riley—. Tengo cuerda y de todo.

Se sacó un rollo de bramante del bolsillo. Ayer mismo había visto el bramante soltarse de una cometa que volaba por encima de los tejados, y la cometa había oscilado y fue bajando enloquecidamente hasta perderse de vista, y él sintió aquella extraña tensión que ya conocía de ver a los pájaros volar hacia el sur en otoño.

—Tío, mira esto... —dijo Buster, con voz asustada.

Una delicada cortinilla de carne cubría el ojo del polluelo, haciendo que pareciese muerto. Riley se detuvo, a punto de hacer un nudo. Entonces los ojos, negros como cuentas, se volvieron a abrir. Con un suspiro, él alzó el trapo, viendo que las cuerdas se movían perezosamente con el viento.

—Venga, tío. Ya estamos preparados para hacer que estos pequeñajos vuelen como abubillas.

Se interrumpió, mirando las palomas que hacían círculos.

—Buster, ¿no te gustaría a ti que alguien te enseñara a volar?

—Bueno, a lo mejor —dijo Buster, a la defensiva—. Supongo que me gustaría. Pero necesitamos dos paracaídas para estos aviadores que tenemos. ¿Cómo van a volar con sólo uno?

—Tú sujétalos y fíjate cómo lo arregla papá —dijo Riley, sonriendo.

Cuando Buster le tendió los polluelos, Riley los sujetó juntos con un trozo de bramante, luego los ató a las cuerdas del paracaídas.

—Y ahora fíjate —dijo. Agarró la tela por el centro y la levantó suavemente, haciendo que los polluelos se balancearan separados del tejado. Los pajarillos piaron muy nerviosos. Buster sonrió.

—Venga, tío.

Fueron a cuatro patas hasta el borde y miraron abajo. Una gallina entonaba una canción perezosa. A lo lejos un gallo desafiaba la mañana y el Viejo Bill le respondió gritando.

—Riley... —empezó Buster.

—¿Y ahora qué es lo que pasa?

—¿Y si tía Kate nos ve?

—Coño, ¿por qué te has puesto a pensar en ella? Está dentro hablando con ese Cristo suyo.

—Bueno... —dijo Buster.

Ahora estaban sentados en el borde, con las piernas colgando. Riley temblaba ante lo que iba a pasar.

—¿Quieres bajar y volverlos a traer?

—Ese gallo todavía sigue allí abajo, tío —dijo Buster.

Moviendo la cabeza con burlona desesperanza, Riley se dejó caer y entró en el gallinero.

El Viejo Bill soltó un aviso desde un extremo lejano.

—Hagamos como hacen en las películas de aviones —gritó Riley—. ¡Encendido!

—Bien, entonces, ¡encendido! —gritó Buster.

—¡Contacto!

—¡Contacto! Es un vuelo sin escalas, tío.

—Bien, ¡déjalos que bajen! —gritó Riley, impaciente.

Entonces vio que Buster soltaba a los polluelos y el paracaídas en el aire, veía que la tela se hinchaba como un paraguas mientras los polluelos piaban muy nerviosos debajo; veía que todo eso bajaba, muy despacio, muy despacio, muy despacio, como el copo de un algodonero.

—*¡¡¡Bájate de ahí ahora mismo!!!*

Riley se dio la vuelta, con el cuerpo tenso. Tía Kate se acercaba cruzando el terreno. Él estaba suspendido, como una aguja entre dos imanes.

—¡Riley, agárralos!

Se dio la vuelta, viendo que el paracaídas se deshinchaba como una vejiga y los polluelos arrastraban la tela hacia el suelo como un trozo de piedra amarilla. Intentó correr para atrapar los polluelos y se encontró inmóvil mientras oía gritar a Buster y a tía Kate. Luego fue dando traspiés hasta donde los polluelos estaban caídos debajo de la tela. Por favor, Dios mío, por favor, dijo, sin respiración. Pero cuando levantó a los polluelos, éstos no hicieron el menor sonido y sus cabezas se balancearon sin vida. Se dejó caer de rodillas lentamente.

Una sombra cayó sobre la tierra y creció. Al mirar a su alrededor, vio dos enormes zapatos negros donde se notaban los juanetes. Era tía Kate, que resollaba ruidosamente.

—¡Ya te lo dije! ¡Sabía que te meterías en problemas antes de que se terminase el día! ¿Qué maldad has hecho ahora?

Él tragó, con la boca seca.

—¿No oyes que estoy hablando contigo, chico?

—Sólo estábamos jugando.

—¿Jugando a qué? ¿Qué estáis haciendo aquí?

—Nosotros... estábamos jugando a que volaran...

—¡A que volaran los pollos! —gritó ella, desconfiada—. ¡Déjame ver lo que hay debajo de ese trapo!

—Sólo es un trozo de tela.

—¡Déjame que lo vea!

Él levantó la tela. Los polluelos pesaban como el plomo. Cerró los ojos.

—¡Lo sabía! ¡Has matado a los pollos de tu madre! —gritó ella—. Y se lo voy a decir, tan seguro como me llamo Kate.

Él la miró sin decir nada.

Si él no hubiera mirado cuando le llamó ella, podría haber atrapado a los polluelos.

De pronto las palabras surgieron, hirvientes:

—¡Te odio! —gritó—. Me gustaría que hubieras muerto en la época de la esclavitud.

La cara de la mujer pareció hundirse sobre sí misma, poniéndose de un gris sucio. Ella estaba orgullosa de ser vieja. Él sintió una fría ráfaga de miedo.

—El Señor te castigará con el fuego del infierno por esto —dijo ella, entrecortadamente—. Algún día recordarás estas palabras y te lamentarás y llorarás.

Ella le había maldecido. Notó que unos guijarros le cortaban las rodillas cuando vio que ella daba la vuelta y se iba. Caminaba como agobiada de dolor, moviendo la cabeza indignada a un lado y a otro, su mandil blanco desplegándose en torno a ella, la tela cubriéndole las caderas.

—Estos jóvenes del siglo XX están poseídos por el demonio, eso es lo que pasa —murmuraba—. Están poseídos por el demonio.

Durante largo rato él miró sin expresión los polluelos caídos en la tierra sembrada de cagadas blanquiverdes de las gallinas. La gallina vieja hacía círculos precavidos en torno a él, suplicando ruidosamente por sus hijos. Luchando contra una sensación de repugnancia, levantó los polluelos, quitó las cuerdas y los volvió a dejar en el suelo...

Durante un poco de tiempo habían volado...

Buster miraba apenado a través de la cerca.

—Lo siento, Riley —dijo.

Riley no respondió. Súbitamente consciente del asqueroso olor del gallinero, se puso de pie, notando las manchas cerúleas en las partes del cuerpo que tenía al aire mientras se secaba distraídamente los dedos.

Si no la hubiera mirado, pensó. Los ojos se le llenaron de lágrimas. Y tan grande era su angustia que no oyó el rápido ataque de plumas ni vio el brillante destello de alas desplegadas cuando el Viejo Bill se le echó encima. La acometida le hizo tambalearse, y al bajar la vista vio con sus ojos llenos de lágrimas el rojo chorro brillante que se deslizaba por el marrón donde el espolón le había herido la pierna.

—Casi conseguimos que volaran —dijo Riley—. Casi...

Common Ground, verano de 1943

Un par de indios sin cuero cabelludo

Tenían una pequeña banda muy ruidosa y cuando avanzábamos entre los árboles yo oía las notas de las trompetas que estallaban como brillantes burbujas metálicas en el cielo. Era un sonido lejano y como chisporroteante, lanzado a la caída de la silenciosa tarde de la colina; ahora muy claro y decididamente musical, una banda de música. Fue un alivio. Llevaba oyéndolo varios minutos mientras atravesábamos el bosque, pero el dolor de ahí abajo había vuelto todos mis sentidos tan engañosamente agudos que había decidido que el sonido era simplemente algo que sonaba musicalmente en mis oídos. Pero ahora estaba doblemente seguro, pues Buster se detuvo y me miró, con los ojos muy abiertos y la cabeza estirada a un lado. Él llevaba una cinta de tela azul en la cabeza con una pluma de pavo sujeta encima de la oreja, y yo veía que la pluma se movía con la brisa.

—¿Oyes lo que oigo yo, tío? —dijo.

—Lo *estaba* oyendo —dije yo.

—¡Maldita sea! Será mejor que salgamos de este bosque para poder ver algo. ¿Por qué no le dijiste nada a un guerrero?

Nos volvimos a mover, dándonos prisa hasta que de pronto habíamos salido del bosque, y estábamos parados en un punto de la colina en el que el sendero bajaba hacia el pueblo, tratando de ver algo. Era cerca de la puesta de sol y debajo de mí veía la arcilla roja del sendero que atravesaba el bosque y avanzaba hasta pasar un árbol blanco alcanzado por un rayo para unirse a la estrecha carretera del río, y la estrecha carretera que cambiaba de dirección pasada la vieja cabaña de la Tía Mackie, y después, más allá de la carretera y la cabaña, veía el monótono y misterioso movimiento del río. Las trompetas ahora resonaban con más claridad, aunque todavía lejanas, como si alguien hiciera sonar puñados de monedas sueltas nuevas contra el cielo. Escuché y seguí rápidamente el río con los ojos cuando éste se curvaba entre los árboles y seguía más allá de los edificios y las casas del pueblo... hasta allí, allí en el extremo más lejano del pueblo, pasada la alta chimenea y la enorme esfera verde de la torre del gas, flotaba el entoldado, que se extendía blanco y como una nube con sus brillantes cuerdas con banderas ondeando.

Fue cuando empezamos a correr. Era un trote indio como de perro, porque los dos llevábamos mochila y estábamos cansados de las pruebas por las que habíamos pasado en el bosque y en Lago Indio. Pero ahora el brillante sonido de las trompetas nos hizo olvidar nuestro cansancio y dolor y nos dirigimos sendero abajo como cabras jóvenes en el crepúsculo; con nuestro equipo de excedentes del ejército y cantimploras haciendo un ruido metálico contra nosotros.

—Llegamos tarde, tío —dijo Buster—. Te dije que hacíamos el idiota y llegaríamos tarde. Pero nada, tú tuviste que cocinar ese maldito urogallo con barro justo como dice en el libro. Podríamos haber preparado un jodido elefante a la barbacoa

mientras esperábamos que un mamón duro como
ése se hiciera...

Su voz retumbaba como un trombón con
una enorme y gruesa sordina metida dentro y yo
corrí sin responder. Habíamos intentado pasar la
prueba de la preparación de comida usando un
urogallo en lugar de un pollo porque Buster dijo
que los indios no comían pollo. Conque nos había llevado tiempo localizar un urogallo y matarlo
con un tirachinas. Además, fue él quien insistió en
que probáramos a pasar la prueba de carrera de resistencia, la prueba de natación, y la prueba de
cocina, todo en un solo día. Claro que había llevado tiempo. Yo sabía que llevaría tiempo, especialmente porque no teníamos monitor. Por no tener, no teníamos ni grupo, sólo el *Manual del
explorador* que Buster había encontrado y —como
nos imaginamos— nuestro mayor problema había
sido preparar las pruebas nosotros mismos. De todos modos, él no tenía derecho a protestar, pues
me había ganado en todas las pruebas; aunque yo
también las había pasado. Y él fue el que insistió
en que empezáramos a hacerlas hoy, aunque los
dos estábamos todavía doloridos y con el vendaje
puesto, y a mí todavía no me habían quitado algunos de los puntos. Yo hubiera querido esperar
unos días hasta estar curado, pero Mister Sabelo-
todo Buster me desafió diciendo que un auténtico indio debía pasar las pruebas aunque el médico
acabara de coserle. Así que, como nos interesaba
más ser exploradores *indios* que simplemente unos
chicos exploradores, unos *Boy* Scouts, aquí estaba
yo corriendo hacia la feria de primavera en lugar de
estar allí ya. Me preguntaba cómo era que Buster

sabía tanto de lo que debería hacer un indio, en cualquier caso. Claro que no habíamos leído nada sobre lo que nos había hecho el médico. Probablemente él se lo inventaba, y yo había dejado que me arrastrase al bosque aunque tuve que escaparme de casa. El médico le había dicho a Miss Janey (es la señora que se ocupa de mí) que me estuviera quieto unos días y ella había prometido hacerlo. Uno pensaría por el modo en que ella se lo tomó que había sido a ella a quien operaron; lo que pasa es que era un tipo de operación del que ninguna mujer presumiría.

Total, que Buster y yo habíamos estado en el bosque y ahora íbamos lanzados colina abajo entre la oscuridad que caía rápidamente hacia la feria. Yo había empezado a sentir latidos y el vendaje me rozaba, pero cuando doblamos una curva, vi el entoldado, las luces y la multitud reunida. Había una brisa que ahora venía colina arriba en nuestra dirección y casi podía notar el olor a algodón dulce, a hamburguesas, y el olor del petróleo de las antorchas. Nos detuvimos a descansar y Buster se quedó muy tieso y señaló allá abajo, haciendo un amplio movimiento con el brazo como un jefe indio en el cine cuando está subido a una colina diciéndoles a sus guerreros y al Gran Espíritu que se está preparando para atacar una caravana.

—Haber un gran... tipi... allá a lo lejos —dijo, hablando al estilo indio—. Las señales de humo decir... Pies Negros... hacer... gran montón... oler mal, ¡danza del gamo con zapatillas deportivas!

—¡Ugh! —dije yo, haciendo una reverencia con la cabeza, que de pronto tenía un penacho de guerra—. ¡Ugh!

Buster extendió el brazo de este a oeste, con el rostro impasible.

—Humo decir... gran montón... ¡oler muy mal! ¡Danza de pies calientes! —se golpeó la palma con el puño y yo le miré sus hinchadas mejillas y me reí.

—Humo decir que tú contar una gran mentira —dije yo—. Bajemos allí.

Corrimos dejando atrás los árboles, con la cantimplora de Buster sonando a chatarra. A nuestro alrededor todo estaba callado excepto los pájaros que buscaban su nido.

—Tío —dije yo—, haces más ruido que un tiro de mulas con todos los arneses puestos. Ningún explorador indio arma ese follón cuando corre.

—Ahora no somos exploradores. ¡Yo voy a pasármelo muy bien en esa feria que apesta a perro!

—Sí, pero conseguirás que te quiten el cuero cabelludo, haciendo todo ese ruido en el bosque —dije yo . A esos otros indios les importa un pepino la feria... ¿qué significa una feria para ellos? ¡Te quitarán el cuero cabelludo!

—¿El cuero cabelludo? —preguntó, ahora hablando como uno de color—. Mierda, tío... ese puñetero médico me quitó el cuero cabelludo la semana pasada. ¡Por poco se lleva mi cabeza entera!

Casi rodé por el suelo de las carcajadas.

—Ten piedad, Señor —dije, riendo—. ¡Sólo somos un par de pobres indios sin cuero cabelludo!

Buster tropezó, agarrándose a un árbol para no caer. El médico dijo que eso nos haría hombres y Buster había dicho: coño, él ya era un hombre...

lo que él quería era ser indio. No habíamos pensado en ello al hacer que nos quitaran el cuero cabelludo.

—Tienes razón, tío —dijo Buster—. Desde que le han quitado el cuero cabelludo a mi cabeza, debo de estar loco. Por eso tengo tanta prisa por estar ahí abajo con los demás locos. Quiero estar en mitad de todos cuando de verdad empiecen a montar follón.

—Claro que estarás allí, Gran Jefe Calvo —dije yo.

Me miró inexpresivo.

—¿Qué crees que ha hecho el médico con nuestros cueros cabelludos?

—Se prepararía un estofado de tripas, tío.

—Estás chiflado —dijo Buster—. Seguramente los usó de cebo para pescar.

—Si hizo eso, voy a demandarle por un trillón, un cuatrillón de dólares, en metálico —dije yo.

—A lo mejor se los dio a la Tía Mackie, tío. Apuesto lo que sea a que ella hace unos maleficios *horribles* con esas cosas.

—Tío —dije yo, estremeciéndome repentinamente—, no hables de esa mujer, es malísima.

—Coño, todo el mundo le tiene miedo. Ya me gustaría que se metiese conmigo o con mi padre, le arreglaría las cuentas.

Yo no dije nada; estaba asustado. Pues aunque me había pasado toda la vida viendo a la mujer por el pueblo, para mí seguía siendo como la luna, misteriosa a pesar de lo conocida que era; y en el sonido de su nombre había terror.

Oye, Tía Mackie, la que habla con los espíritus, la profetisa del desastre, la que vive sola en una cabaña a la orilla del río rodeada de girasoles, dondiegos de día y extrañas hierbas mágicas (Jau, como habría subrayado Buster durante nuestra fase de indios, ¡Jau!); *la vieja Tía Mackie, la de cara de pasa que camina con bastón, la que de noche grita con voz chirriante, la malvada de ojo redondo, la que tiene trances espectaculares y terribles ataques de rabia; Tía Mackie, la que predica encendidos sermones en las atareadas calles del pueblo, la que persigue a los niños con voz ardiente, la que usa rapé, la visionaria; la que lleva pañuelos grasientos en el pelo, arrugados mandiles y viejos zapatos de hombre; Tía Mackie, la hermana de nadie pero la Tía Mackie para todos nosotros* (¡Jo, Jau!); *la echadora de la fortuna, la que convoca a las fuerzas, la que domina cuerpos con encantamientos* (¡Ja, Jau!). *Tía Mackie, la lejana aunque siempre aparezca entre nosotros; la que consultan de noche los campesinos sobre cultivos y ganado* (¡Jau!); *la que cura con hierbas, la médico de las raíces, y la de los oráculos que confunden a los del pueblo que hacen sondeos buscando petróleo en la tierra...* (¡Jaaaa-Jo!). Todo eso estaba en su nombre y ante su nombre me estremecí. Una vez pronunciado, para mí se había terminado la charla; se la cedí a Buster, el tipo duro.

Hasta algunos de los mayores, negros y también blancos, le tenían miedo a la Tía Mackie, y todos los niños, a no ser Buster. Buster vivía en las afueras de la ciudad y le impresionaba tan poco la Tía Mackie como el que se ocupa de los que hacen novillos y otros a los que todos los demás mirábamos con temor. Y como yo era colega suyo, me avergonzaba sentir miedo.

Habitualmente me atrevía a más cosas cuando estaba con él. Como la vez dos años antes cuando habíamos ido al bosque con sólo nuestros tirachinas, un trozo de sebo y una cacerola, y habíamos vivido tres días a base de conejos que matábamos y bayas silvestres que cogíamos y las espigas de trigo que les mangábamos a los campesinos. Dormíamos cada uno envuelto en su manta, y por la noche Buster había contado historias estupendas del mundo que encontraríamos cuando fuésemos mayores y dejáramos el pueblo y la familia. Yo no tenía familia, sólo a Miss Janey, que se ocupó de mí después de que muriera mi madre (no conocí a mi padre), conque el irse a otro sitio siempre me atrajo, y la época futura de la que le gustaba hablar a Buster se perfilaba en la oscuridad que me rodeaba llena de esperanzas de vivos colores. Y aunque oímos a un oso que andaba pesadamente por el bosque cercano y el horripilante aullido de un coyote en la oscuridad, sí, nos había pasado rozando por encima un búho que volaba blandamente, Buster no tuvo miedo y yo me había vuelto valiente gracias a su valor.

Pero para mí la Tía Mackie era un peligro de otra clase, y le rendía respeto con mi miedo.

—Escucha esas trompetas —dijo Buster. Y ahora el sonido venía de entre los árboles como canicas de colores brillando al sol de verano.

Volvimos a correr. Y ahora, manteniendo mi paso al par que el de Buster, me sentí bien; pues yo quería estar también allí, en la feria; precisamente en mitad de toda aquella confusión, sudando y riendo y con todas las cosas extrañas que ver.

—Escúchalos ahora, tío —dijo Buster—.
Esos idiotas empiezan a tocar *Gracia increíble* con
esas trompetas. ¡Pisemos a fondo!

La escena bailaba debajo de nosotros según
corríamos. De repente había una noria enorme que
daba vueltas lentamente en la oscuridad, con sus
luces rojas y azules brillando como gotas de rocío
que resplandecen en una gran tela de araña que ves a
primera hora de la mañana. Y oíamos la atrayente
llamada de la banda que ahora se escuchaba entre las
voces menos potentes, insistentes, de los charlatanes.

—Escucha ese trombón, tío —dije yo.

—Suena como si el tipo estuviera insultando al mundo entero.

—¿Qué está diciendo, Buster?

—Está diciendo: «No las llevan todas las
parientas. Muchas no las llevan. No saben ni que
existen».

—¿Qué es lo que no saben que existe, tío?

—Las bragas, idiota; ¡está hablando de las
bragas!

—¿Cómo lo sabes, tío?

—Le oigo hablar, ¿tú no?

—Claro que sí, pero te han quitado el cuero cabelludo, ¿te acuerdas? Estás loco. ¿Cómo vas
a saber de las parientas de esa gente? —dije.

—Dice que las vio con su ojo enorme.

—¡Coño! Debe de ser un mirón. ¿Y esos
otros metales?

—Ahora la tuba está diciendo:

No juegan con ellas, sé que no juegan.
No juegan con ellas, sé que no juegan.
Ellos no juegan a insultarse...

—Tío, tú *eres* un idiota sin cuero cabelludo. ¿Y esa trompeta?

—¿Ése? Ése es un soldado idiota, que trata de decir, que dice:

Conque no juegues con ellas, ¿eh?
Conque no juegues con ellas, ¿eh?
Bueno, patea y bate palmas,
Porque voy a tocarles la tierra prometida...

—Tío, los blancos saben lo que ese idiota está dando a entender con ese instrumento, para ellos es lo más claro del mundo. El de la trompeta tenía una boca *asquerosa* de verdad.

—¿Por qué le llamas soldado? —dije yo.

—Porque los está insultando y haciéndoles la pelota, todo al mismo tiempo. Habla de sus parientas y de mandarlas a la mierda. No es como ese viejo clarinete; el clarinete es tan suave que deja que a uno le insulten.

—Oye, Buster —dije yo, ahora en serio—. Sabes que nosotros dejaremos de decir tacos e insultar si vamos a ser exploradores. Esos chicos blancos no hacen esas cosas.

—Claro que no lo hacen, coño —dijo él, con la pluma de pavo vibrando encima de su oreja—. A esos tipos no les gusta, tío. Además, ¿quién quiere ser igual que ellos? Yo, ¡voy a ser explorador e insultarme con quien me dé la gana! Uno tiene que hacer eso, con alguno de esos viejos hijoputas que conocemos. Uno no sabe qué decir cuando empiezan a meterse contigo, nunca le dejan a uno en paz. Uno tiene que hablar más que ellos, correr más, luchar mejor y yo no quiero estar corriendo y luchando todo el tiempo. No me importan esos chicos blancos.

Avanzamos en la creciente oscuridad. Ya podía ver unas cuantas estrellas y de pronto allí estaba la luna. Emergió como una cuchilla detrás del delgado velo de nubes, justo cuando oí un sonido nuevo y miré alrededor con súbita inquietud. A nuestra izquierda oí un perro, uno grande. Aminoré el paso, al ver el perfil de una cerca y las sombras de formas raras que rondaban el terreno de la Tía Mackie.

—¿Qué pasa, tío? —dijo Buster.

—Escucha —dije yo—. Ése es el perro de la Tía Mackie. El año pasado andaba yo por aquí y él asomó la cabeza y me mordió por entre la cerca cuando ni siquiera pensaba en él...

—Cállate, tío —susurró Buster—. Oigo a ese hijoputa ahí detrás. Déjamelo a mí.

Avanzamos centímetro a centímetro, oyendo ladrar al perro en la oscuridad. Luego ya pasábamos y él lanzó su pesado cuerpo contra la cerca, tirando de su cadena. Dudamos, la mano de Buster agarrándome el brazo. Solté el pesado cinturón de mi cantimplora y se la entregué, repentinamente sin peso en mis dedos. Con la derecha agarré el hacha que llevaba.

—Será mejor que demos vuelta y sigamos el otro sendero —susurré.

—Quédate quieto sin hacer nada, tío —dijo Buster.

El perro volvió a golpear la cerca, ladrando roncamente; y en el intervalo que siguió al eco del choque oí la lejana banda de música.

—Vámonos —dije—. Demos un rodeo.

—¡No, coño! ¡Seguiremos recto! No voy a dejar que un jodido perro me asuste, sea de la Tía Mackie o no sea de la Tía Mackie. ¡Vamos!

Temblando, avancé con él hacia el perro que gruñía, luego noté que se volvía a detener, y oí que se quitaba la mochila y sacaba algo envuelto en papel.

—Toma —dijo—. Coge mis cosas y sigue.

Agarré su equipo y fui detrás de él, oyendo que de repente su voz, que expresaba miedo y enfado, decía:

—Toma, comemierda, bocazas, a ver si te gusta este urogallo —justo cuando yo me enredé con las correas de su mochila y caí al suelo. Luego yo iba frenéticamente a cuatro patas, tratando de soltarme y oyendo que el perro gruñía cuando agarró algo entre sus fauces—. Cómete eso, buitre de mierda —estaba diciendo Buster—, a ver si eres tan duro como él —mientras yo trataba de levantarme, dando tumbos y mandando despedida una vieja sartén que se estrelló en la oscuridad. Parte de la cerca había desaparecido y en mi pánico había entrado a cuatro patas en el terreno. Ahora oía ladrar al perro amenazadoramente y tirar de su cadena totalmente extendida hacia mí, luego volvió al urogallo; y la forma se apartó de mí dominada por la pesada cadena, volviendo a morder fieramente el despedazado urogallo. Alejándome, anduve con dificultad sobre el hornillo y los cacharros dispersos, tropecé con ramas de girasoles, tratando de volver con Buster, cuando vi la ventana iluminada y comprendí que había llegado a cuatro patas hasta la propia cabaña. Eso fue cuando me apoyé en un costado de la cabaña gastada por el paso del tiempo y me puse de pie. Y allí, enmarcada por la ventana, en la habitación que iluminaba una lámpara de aceite, vi a la mujer.

Una mujer morena desnuda, cuyo pelo negro le caía hasta los hombros. Distinguí la larga y delicada curva de su espalda cuando se movía en una especie de lenta danza, doblándose hacia delante y atrás, como moviendo los brazos y el cuerpo alrededor de algo que yo no podía ver pero que la llenaba de placer; un cuerpo de joven, casi de niña, con delicadas caderas bien redondeadas. *Pero ¿de quién?* —se me pasó por la mente cuando oí a Buster: *Oye, tío; ¿adónde vas? ¿Me dejas solo?*, desde el fondo de lo más oscuro—. Y yo quise moverme, largarme a toda prisa... pero en ese instante ella decidió agarrar un vaso de una inestable mesa redonda blanca y vieja, y beber, dándose la vuelta lentamente mientras se mantenía quieta con la cabeza echada hacia atrás, girando hacia la luz de la lámpara y bebiendo despacio según giraba; hasta que pude ver su forma femenina totalmente de frente.

Y me quedé allí paralizado, contemplando el desigual movimiento de sus pechos debajo del brillante curso del líquido, que caía por su cuerpo derramándose en dos corrientes gemelas dibujadas por el tranquilo subir y bajar de su respiración. Luego el vaso bajó y las rodillas me fluyeron como el agua. El aire pareció explotar sin hacer ningún sonido. Sacudí la cabeza pero la mujer, la imagen, no se iba y de repente me entraron unas ganas locas de reír y gritar. Por encima de los delicados hombros de la forma juvenil vi la cara arrugada de la Tía Mackie.

Bien, yo nunca había visto antes a una mujer desnuda, sólo a niñas muy pequeñas, o una o dos veces a una esquelética de mi edad, que parecía un chico al que le faltase una parte del cuerpo. Y aunque había visto unas cuantas en los calendarios no estaban vivas como ésta, no eran la imagen de alguien que consideras conocida porque la has visto pasar por las calles del pueblo; no como esta cara inconsistente, arrugada que no casaba con la forma resplandeciente. De modo que eso, mezclado con mi miedo al castigo por haber estado mirando, se añadió al terror de su misterio. Y sin embargo, no me podía mover. Estaba fascinado, oyendo gruñir al perro y notando un dolor caliente que aumentaba debajo del vendaje... junto al terror que surgía nuevamente porque esta engañosa mujer vieja pudiera hacerme sentir aquellas cosas, porque pudiera ser tan joven debajo de sus amplias ropas tan viejas.

Ahora bailaba de nuevo, todavía ignorante de mis ojos, con la luz de la lámpara jugando sobre su cuerpo cuando agitaba y estrechaba el aire o los espíritus invisibles o lo que tuviera entre los brazos. Cada vez que se movía, su pelo, que era tan negro como la noche ahora que ya no estaba oculto bajo un pañuelo grasiento, oscilaba pesadamente encima de sus hombros. Y cuando me desplacé a un lado distinguí las suaves sacudidas de sus pechos debajo de sus brazos levantados. *Esto no puede ser,* pensé, *esto no puede ser,* y me acerqué más, decidido a ver y saber. Pero había olvidado el hacha que tenía en la mano hasta que ésta golpeó el costado de la casa y vi que la mujer se volvía rápidamente hacia la ventana; su cara el propio mal al girarse.

Quedé tieso como una piedra, oyendo los gruñidos del perro que destrozaba el ave y sabiendo que debería correr aunque ella avanzaba hacia la ventana, con su sombra delante, el pelo ahora enfurecido como serpientes retorciéndose en un árbol seco durante una crecida de primavera. Entonces oí la voz ronca de Buster: *¡Eh, tío! ¿Dónde coño estás?* —aunque ella me señalaba y gritaba, haciendo que me echase hacia atrás, y fui consciente de la luna en forma de hoz que volaba como el resplandor de un relámpago cuando yo caía, todavía agarrando el hacha, y me di un golpe en la cabeza a oscuras.

Cuando empezaba a escapar alguien me agarraba y quedé tumbado a la luz y alcé la vista y vi su cara encima de mí. Entonces todo fluyó rápidamente hacia atrás y otra vez fui consciente del contraste entre el suave cuerpo y la cara arrugada y tuve una repentina sensación caliente que sin embargo dolía. Me acercó a ella. Me llegó su aliento, dulcemente alcohólico mientras murmuraba algo como:

—Diablillo, ¡labios que tocan el vino nunca tocarán los míos! Eso es lo que le dije, ¿me entiendes? Nunca —dijo, en voz muy alta—. ¿Me entiendes?

—Sí, señora...

—¡Nunca, nunca, NUNCA!

—No, señora —dije yo, viendo que me examinaba entrecerrando los ojos.

—Eres joven, pero los jóvenes demonios como tú entendéis. ¿Qué estás haciendo en mi terreno?

—Me perdí —dije—. Volvía de hacer unas pruebas de explorador y trataba de evitar a su perro.

—Eso es lo que oí —dijo ella—. ¿Te mordió?

—No, señora.

—Claro que no, no muerde en luna nueva. No, creo que has venido a mi terreno a espiarme.

—No, señora, no vine a eso —dije—. Lo que pasó es que vi la luz cuando andaba dando tumbos por ahí tratando de encontrar el camino.

—Tienes ahí un hacha hermosa —dijo, bajando la vista a mi mano—. ¿Qué piensas hacer con ella?

—Es un tipo de hacha de explorador —dije yo—. La usé para abrirme paso en el bosque...

Me miró dubitativa.

—Entonces —dijo—, tú eres el hombre del hacha y te has parado a atisbar. Bueno, lo que quisiera saber es si bebes. ¿Han tocado tus labios alguna vez el vino?

—¿Vino? No, señora.

—¿De modo que no bebes, pero vas a la iglesia?

—Sí, señora.

—¿Y has sido salvado y no eres un apóstata?

—Eso es.

—Bien —dijo ella, frunciendo los labios—. Creo que me puedes besar.

—¿SEÑORA?

—Es lo que dije. Pasaste todas esas pruebas y atisbabas por mi ventana...

Me tenía sujeto a una hamaca, abrazándome como si yo fuera un niño de tres años; sonreía como una niña. Yo veía sus finos y blancos dientes y los largos pelos de su barbilla y aquello era como un mal sueño.

—Atisbabas —dijo—, y ahora tienes que hacer lo demás. Dije que me besaras, o te arreglaré las cuentas.

Vi que su cara se acercaba y noté su cálido aliento y cerré los ojos, tratando de obligarme. *Sólo es como besar a una de esas mujeres sudorosas de la iglesia,* me dije, *a una amiga de Miss Janey.* Pero eso no sirvió de nada y noté que tiraba de mí y encontré sus labios en los míos. Eran secos y duros y con sabor a vino y la podía oír suspirar.

—Otra vez —dijo ella, y una vez más mis labios se encontraron con los suyos. Y de repente me atrajo hacia ella y noté sus suaves pechos contra mí cuando suspiraba una vez más.

—Buen chico —dijo, con voz amable, y abrí los ojos—. Ya fue bastante, eres demasiado joven y al tiempo demasiado viejo, pero eres valiente. Un pequeño héroe de color chocolate.

Y ahora ella se movió y me di cuenta por primera vez de que mi mano estaba en su pecho. La retiré, con culpabilidad, con la cara muy roja cuando ella se estiraba.

—Eres un chico valiente —dijo, observándome desde lo más profundo de sus ojos—, pero olvida lo que pasó aquí esta noche.

Me senté mientras ella seguía quieta mirándome desde arriba con una sonrisa misteriosa. Y vi que ahora su cuerpo estaba cerca, a la tenue luz amarilla; vi lo sorprendentemente sedoso que era su pelo negro salpicado acá y allá de gris, y de repente yo estaba llorando y me despreciaba por la apremiante necesidad. Miré mi hacha caída en el suelo ahora y me pregunté cómo se las había arreglado ella para meterme en la cabaña mientras las lágrimas me emborronaban la visión.

—¿Qué te pasa, chico? —dijo ella. Y no encontré qué palabras responderle.

—¡Qué te pasa, te digo!

—Me duele la operación que me hicieron —dije, desesperado, sabiendo que mis lágrimas eran demasiado complicadas para que cupieran en las palabras que sabía.

—¿Una operación? ¿Dónde?

Yo aparté la vista.

—¿Dónde te duele, chico? —preguntó.

La miré a los ojos y éstos parecieron derramarse hacia mí, hasta que de mala gana señalé hacia donde me dolía.

—Abre eso, así lo podré ver —dijo ella—. Ya sabes que curo a la gente, ¿o no?

Asentí con la cabeza, todavía dubitativo.

—Bien, pues ábrelo. ¿Cómo lo voy a ver con toda esa ropa puesta?

Ahora la cara me ardía como en llamas y el dolor parecía calmarse a medida que una humedad aumentaba debajo del vendaje. Pero no me podía negar y me desabroché y vi una mancha roja en la gasa. Me quedé allí tumbado, sin atreverme a levantar la vista.

—Jmmmmmmm —dijo ella—. ¡Un gusano para pescar con dolor de cabeza! —y yo no podía creer lo que oía. Luego ella me miraba a los ojos y sonreía.

—Te han mutilado —dijo con su cascada y aguda voz de vieja—, te han mutilado, chico.

Yo soy un médico pero no curo árboles... no, quédate tumbado ahí un momento más.

Se interrumpió y vi que adelantaba la mano. Tres dedos como garras me sujetaron suavemente mientras examinaba el vendaje.

Y yo estaba avergonzado y al tiempo enfadado y ahora la miré con vivo resentimiento y un orgullo desafiante. *Yo soy un hombre,* me dije para mis adentros. *¡Con eso y todo, soy un hombre!* Pero sólo pude clavar la vista en su cara un momento mientras ella me miraba con los ojos brillantes. Luego bajé los ojos y entonces me obligué a mirarla audazmente; estaba muy morena a la luz de la lámpara, con todo el complicado aparato dentro de las curvaturas globulares de carne y vasos sanguíneos expuestos a mi vista. También me dominaba una profunda sensación del misterio que tenía aquello, pues ahora era como si la desnudez no fuera más que otro velo; algo muy parecido a las ropas deformes y viejas que llevaba puestas siempre. Luego, pasada la curvatura de su estómago vi una cicatriz arrugada y alargada en forma de luna creciente.

—¿Cuántos años tienes, chico? —dijo ella, con los ojos de repente redondos.

—Once —dije. Y fue como si yo hubiera disparado un tiro.

—¡Once! ¡Largo de aquí! —gritó ella, echándose hacia atrás, mirándome con los ojos muy abiertos mientras buscaba con la mano el vaso de la mesa. Luego agarró una vieja bata gris de una silla, buscando a tientas el cordón para atársela, que no encontró. Me moví, sin quitarle los ojos de encima mientras me arrodillaba a por el hacha, y noté que el dolor se hacía más agudo. Luego me estiré, tratando de colocarme los calzoncillos en su sitio.

—Y ahora vete, golfillo —dijo ella—. Lárgate de aquí a toda prisa. Y si alguna vez oigo que has contado algo de mí, les arreglaré las cuentas a tu padre y a tu madre también. Les arreglaré las cuentas, ¿me oyes?

—Sí, señora —dije, notando que de repente había perdido el valor propio de un hombre, ahora que mi vendaje estaba oculto y su cuerpo secreto había desaparecido debajo de la vieja bata gris. Pero ¿cómo le iba a arreglar las cuentas a mi padre si yo no lo tenía? ¿O a mi madre, si estaba muerta?

Me puse en movimiento, saliendo por la puerta a la oscuridad. Luego ella cerró de un portazo y vi la luz que brillaba intensa en la ventana y allí estaba su cara mirándome y no podría decir si fruncía el ceño o me sonreía, pero al resplandor de la lámpara no se veían sus arrugas. Tropecé con las mochilas y las recogí, alejándome.

Esta vez el perro se levantó, enorme en la oscuridad, con los ojos brillantes cuando me lanzó un gruñido grave sin interés. *La verdad es que Buster debe de haberte ajustado las cuentas,* pensé. *Pero ¿adónde había ido?* Luego crucé la cerca hasta la carretera.

Me apetecía correr pero tenía miedo de volver a sentir dolor, y según me alejaba no dejaba de verla como se me había aparecido con la espalda vuelta hacia mí, los suaves movimientos de quien no está borracho que había hecho. Había sido como alguien que bailara para sí misma y sin embargo también como si rezara sin arrodillarse. Luego se había dado la vuelta, mostrando su rostro habitual. Ahora yo avanzaba más deprisa y de repente todos mis sentidos parecieron cantar vivos. Oí el canto de un ave nocturna; se alzó la clara llamada de una codorniz. Y desde mi derecha, en el río, me llegó el sonido del salto de un pez luna y distinguí el arco de espuma lejano. Había glicina en el aire y olor a flores de datura. Y ahora al avanzar entre la oscuridad, recordaba el cálido, el intrigante olor de su cuerpo y de repente, con las voces de la feria que me llegaban de nuevo, todo se volvió inconsistente y como si hubiera sido un sueño. Las imágenes que acudían a mi mente se volvieron imprecisas; ninguna parte se adaptaba a la otra. Pero el dolor todavía estaba allí y aquí estaba yo, que corría en la oscuridad hacia la pequeña banda que tocaba muy alto. Eso era real, lo sabía, y me detuve en el sendero y miré hacia atrás y vi el oscuro perfil de la cabaña y la delgada luna encima. Detrás de la cabaña se alzaba la colina con los bosques en sombra y sabía que el lago todavía estaba allí escondido, reflejando la luna. Todo era real.

Y durante un momento me sentí mucho mayor, como si hubiera vivido a toda velocidad muchos años del futuro y me hubieran empujado a la misma velocidad de vuelta aquí. Traté de recordar cómo había sido cuando la besé, pero en mis labios la lengua sólo encontró un levísimo rastro de vino. A no ser por eso habría desaparecido, y yo lo recordé siempre, pero suprimiendo los ásperos pelos de su barbilla. Después yo atendía nuevamente la imperiosa llamada de las trompetas y volví a avanzar hacia la feria. ¿Dónde estaba el otro indio sin cuero cabelludo, dónde había ido Buster?

New World Writing, 1956

El vigilante de Hymie

Sólo andábamos por ahí; sin ir a ningún sitio en concreto, pues hacía tiempo que habíamos renunciado a la esperanza de encontrar trabajo. Sólo recorríamos el país, sin rumbo. [Diez chicos negros en un mercancías de la L&N.] Desde Birmingham habíamos subido dando rodeos hasta la feria mundial de Chicago, donde el vigilante nos había localizado en los depósitos de carga y nos echó, dejándonos unos cuantos chichones en la cabeza de recuerdo. Si alguna vez tuviste a un vigilante tan encima que no puede fallar, y te pega en el culo mientras ibas a cuatro patas por el techo de un furgón y cuando intentabas quitarte de delante, porque sabías que tenía un arma aparte de la porra y le habías dado tiempo para que calculase un sitio blando de tu cabeza y pegase con su porra como un hombre que casca nueces con un martillo; y si cuando empezabas a bajar por un lado del vagón porque no querías saltar del tren en marcha como él dijo que hicieras, te pisoteaba los dedos con unas pesadas botas y te los aplastaba con el tacón como haría con una cucaracha, y luego si no te soltabas, te pegaba en los nudillos con su porra hasta que te tenías que soltar; y cuando lo hacías, te golpeabas contra la escoria de las vías y te encontrabas dando vueltas y apartando la cara del tren más deprisa que los postes telefónicos de los lados de las vías, entonces comprenderás por qué estábamos tan jodidamente contentos por tener sólo unos cuantos chichones en la cabeza. Especialmente cuando recuerdas que los vigilantes de Chicago odian a los vagabundos negros casi tanto como Texas Slim, que mataría a uno de nosotros tan rápido como la emprendería contra un mirlo subido a una cerca.

Los vigilantes son una gente bastante desagradable de encontrar si eres vagabundo. Han convertido el dar palizas en una ciencia y siempre están listos para entrar en acción. Saben todos los sitios donde pegar a un tipo y convertirle los huesos en papilla, y parecen saber cuál es el punto justo donde pegarte para hacerte sentir que el espinazo va a doblarse como aquellos antiguos vasos de celofán que usábamos para beber cuando éramos niños. Una vez un vigilante me pegó en el puente de la nariz y sentí como si se me estuviera deshaciendo igual que un pitillo flotando en un orinal. Te pueden pegar en la cabeza y reventarte los zapatos.

Pero a veces los vigilantes se llevan la peor parte, y cada vez que un vigilante desaparece al final de una ronda, y lo encuentran rajado de arriba abajo y sangrando y a veces muerto, empiezan a echar a todos los vagabundos negros de los mercancías. La mayoría de las veces no les preocupa quién lo hizo, porque lo principal es conseguir que un chico negro lo pague. Ahora bien, cuando oigas que los negros de mierda son los únicos vagabundos que llevan navaja puedes considerarlo mera palabrería de los vigilantes porque lo que trato de contar lo hizo un vagabundo blanco que se llamaba Hymie, de Brooklyn.

Íbamos en un vagón de carga, y Hymie no se encontraba bien por algo en mal estado que había papeado en un pueblo de millas atrás donde el mercancías se había detenido a por agua. A lo mejor no fue esa comida; a lo mejor fue el estofado que él había preparado allá en la espesura días atrás. Nos gustaba aquel sitio porque crecían girasoles y uno estaba protegido del sol. Pero, fuera lo que fuese, Hymie se encontraba mal e iba en el techo. Hacía mucho calor y las moscas entraban al vagón tan deprisa que habíamos dejado de prestarles atención. A Hymie debían de tocarle mucho los huevos, sin embargo, porque soltaba su cena sin parar y salpicaba el aire. Debía de sentirse muy molesto con las moscas porque podíamos ver su cena que volaba más allá de la puerta del vagón donde estábamos. Una vez era tan roja como el penacho de un pájaro cardenal que pasara volando sobre los campos verdes de los lados de las vías. Pensando en ello, podría haber sido un pájaro cardenal que pasara volando. O podía haber sido otra cosa que olía como el cucho de un establo.

Intentamos que el chaval bajara, pero él dijo que se sentía mejor al aire libre conque le dejamos en paz. En realidad empezamos a jugarnos las colillas a las veintiuna y pronto nos olvidamos de Hymie; esto es, hasta que estuvo demasiado oscuro dentro del vagón para distinguir los palos de la baraja. Entonces decidí subir al techo para ver la puesta de sol.

Al oeste el sol era un globo enorme que parecía caer como un balón de baloncesto lanzado a una canasta, y el mercancías parecía que trataba de alcanzarlo antes de que entrase. Se veían grandes enjambres de moscas que seguían los vagones del mercancías como gaviotas a un barco; sólo que el ruido que hacían se perdía en el estruendo del tren. En el campo se veía una bandada de pájaros que volaban hacia la puesta de sol, salían disparados en ángulo para alzarse y bajar en picado, alzarse y bajar en picado, ascender y girar con el viento como cometas sueltas de sus cuerdas.

Yo estaba quieto en el techo, notando el viento que chocaba contra mis ojos y me agitaba los pantalones contra las piernas, y saludé a Hymie con la mano. Él tenía las piernas sujetas al ventilador abierto del vagón refrigerado que iba enganchado al nuestro. A aquella luz Hymie parecía un tipo encajado en una esquina con manos y pies atados como en una película de gángsters. Le saludé con la mano, y él me devolvió el saludo sin fuerzas. Ahora el tren iba cuesta abajo, y los campos pasaban en curva, y eso hacía que te sintieras como si estuvieses en un tiovivo. Cuando tratabas de gritar, tu voz era débil, como el sonido que se oye cuando uno se sienta en el fondo de una poza y golpea dos piedras una contra otra. Conque nosotros, Hymie y yo, sólo nos saludamos con la mano.

Sentí pena por el pobre, allí solo. Me apeteció poder hacer algo por él, pero no ponían agua en los vagones de carga con puertas a los lados y supongo que los vagabundos son demasiado estúpidos para llevar cantimploras. Luego pensé: Al infierno con Hymie. Unas millas más adelante, cuando llegáramos al Sur, él y los demás chicos saltarían dentro de otro vagón en cualquier caso.

Me quedé allí en el techo escuchando el ritmo de las ruedas que traqueteaban en las vías. A veces el ritmo era regular, como niños de Harlem que golpean cajas vacías alrededor de una hoguera al caer la tarde cuando juegan en la calle. Me quedé allí en el techo escuchando, ligeramente echado hacia delante para mantener el equilibrio como uno que esquía, y pensé en mi madre de la que me había separado dos meses antes (esto era en 1934), y que ni siquiera sabía que yo me dedicaba a subir a trenes de mercancías. Pobre mamá, había hecho todo lo posible porque mi hermano y yo nos quedáramos en casa, pero ya llevaba demasiado dándonos de comer, y nos estábamos haciendo mayores para dejar que nos siguiera manteniendo, de modo que nos marchamos de casa en busca de trabajo.

Se estaba poniendo demasiado oscuro para ver, cuando de repente el mercancías dio un tirón, y todos los vagones del tren empezaron a acelerarse uno contra otro siguiendo las vías hasta la locomotora como si fueran a chocar a una velocidad mayor cuando llegaran allí. Entonces miré hacia donde iba Hymie, y había un vigilante que se arrastraba hacia él con una porra en la mano. Grité para que Hymie se enterara, pero el ruido se tragó mi voz y el vigilante cada vez se acercaba más. Y fíjate, Hymie estaba dormido, con las piernas todavía cerradas alrededor del ventilador, cuando el vigilante llegó junto a él. Entonces el vigilante agarra a Hymie para sacudirle y se pone a pegarle con la porra al mismo tiempo. Hymie despertó, resistiéndose y gritando; yo le distinguía la cara. De vez en cuando la porra caía y llegaba un grito hasta donde yo avanzaba a rastras, demasiado nervioso para moverme con rapidez. El mercancías ondulaba como un perro negro muy largo, y encima de él nosotros éramos como tres monos agarrados a su lomo, como a veces pasa en el circo. El vigilante finalmente puso las rodillas en el pecho de Hymie y lo estaba asfixiando, con la porra colgándole de la muñeca por una correa de cuero.

Unas veces intentaba que Hymie se soltara para arrojarlo fuera del vagón, y otras veces le pegaba con la porra. Hymie oponía toda la resistencia que podía, pero al mismo tiempo se rebuscaba el bolsillo con una mano. Yo veía que el vigilante pegaba, calculaba y pegaba, y Hymie seguía con la mano izquierda en la cara del vigilante y todo el tiempo se rebuscaba en el bolsillo.

Entonces vi destellar algo a la luz que se desvanecía rápidamente, y Hymie entró en acción con su hoja. El vigilante todavía le golpeaba con la porra cuando Hymie empezó a darle tajos para soltarse. Se veía brillar la navaja más allá de la cabeza de Hymie y luego hundirse entre las dos muñecas del vigilante, y se oía que éste gritaba porque todo el rato estabas acercándote cada vez más y veías que soltaba a Hymie y Hymie se levantaba, haciendo semicírculos con la navaja que parecía una serpiente y la hoja giraba como calculando el sitio exacto y luego se clavaba en la garganta del vigilante. Hymie hundió la navaja de oreja a oreja en la garganta del vigilante; luego lo apuñaló y lo echó fuera del techo del vagón. El vigilante estuvo quieto un segundo en el aire como un niño que se tira desde un puente al río, luego chocó contra la escoria de debajo. Había algo caliente en mi cara, y me di cuenta de que la sangre del vigilante había salpicado como espuma cuando un mercancías se detiene para coger agua de un depósito.

Ahora estaba oscuro, y Hymie hizo tiras su camisa, y las dejó colgar por el borde del vagón, y se descolgó de ellas por un lado. Estuvo allí colgando hasta que el tren empezó a subir una cuesta y disminuyó la velocidad. Llegábamos a un pueblo de la montaña. Había luces dispersas acá y allá como las pasas de un bizcocho, y más cerca vi que Hymie se ponía tenso y se dejaba caer del vagón. Chocó contra la tierra dura, rodó unos metros, y se puso de pie. Por entonces estábamos demasiado lejos para verle con la escasa luz. Rodamos al lado del pueblo, y se oyó su solitario pitido y me pregunté si esto sería lo último que vería de Hymie...

Más tarde me contaron que la camisa que hizo tiras Hymie la encontraron en la cerca de un campo y que su navaja todavía estaba clavada en el pecho del vigilante. El vigilante había rodado de la escoria hasta las viñas que bordeaban las vías, y se quedó allí cubierto de sangre entre las flores que parecían lirios atigrados azules.

Al día siguiente al atardecer nos detuvimos en las vías muertas de Montgomery, Alabama, muchas millas más allá, y temimos por nuestras vidas. El tren tenía que cruzar un puente antes de llegar a los depósitos. Iba despacio, y en cuanto lo cruzó empezamos a bajarnos. De repente oímos gritar a alguien, y cuando corrimos a la parte delantera del mercancías, había dos vigilantes, uno alto y otro bajo, apuntándonos a la cabeza con los cañones de sus rifles. Estaban haciendo que todos nos pusiéramos en fila para poder vernos mejor. El cielo estaba nublado y muy negro. Nos dimos cuenta de que habían encontrado al vigilante de Hymie y algún chico negro tenía que pagarlo. Pero esta vez la suerte debía de estar de nuestra parte porque justo entonces estalló la tormenta y el mercancías empezó a salir de los depósitos. Los vigilantes gritaron que ninguno volviera al tren y todos nos separamos y echamos a correr entre unos vagones para tratar de alcanzar el tren que salía por el otro lado del depósito. Lo conseguimos. Viajamos en el techo aquella noche bajo la lluvia. Era incómodo, pero estábamos más contentos que la hostia y sabíamos que el sol nos secaría la ropa al día siguiente, y cogeríamos algo que se alejara rápidamente de donde Hymie liquidó a su vigilante.

No me enteré de cómo se llamaban

Hacía frío en el techo. Íbamos a Saint Louis en un mercancías, subidos al techo de un furgón. Estaba oscuro, y chispas de la máquina volaban hasta donde estábamos. A veces unas cenizas nos llegaban a la cara, y la parte espesa de la negrura que se agitaba era humo. El mercancías daba tirones y traqueteaba, y pasaban chispas volando, bailando rojas en la oscuridad que se arremolinaba. Hacía un frío del demonio y viajábamos deprisa. El mercancías de Santa Fe bajaba como una bala una cuesta en la oscuridad. Millas a nuestra izquierda, la baliza de un aeropuerto cincelaba la noche. Arriba en el techo hacía frío para ser a principios de otoño, y las cenizas nos pegaban en la cara como arena arremolinada por el viento.

—¿Cuánto tardaremos en llegar a Saint Louis? —le grité a Morrie.

—Mañana a mediodía, si no descarrila. Está corriendo como alma que lleva el diablo —me gritó él al oído.

Morrie era mi colega. Lo había conocido en la plantación de girasoles de las afueras de un pueblo de Oklahoma. Saltó fuera cuando el mercancías se detuvo y se sentó junto a mí en el terraplén. Yo había tenido una sensación rara cuando lo vi enrollarse las perneras y quitarse la pierna. La pierna artificial había sido blanca como carne y el muñón rojo y áspero. Había perdido la pierna hasta la rodilla bajo las ruedas de un mercancías, y la pierna artificial se la había dado una compañía de seguros. Me contó que llevaba cinco años de vagabundo. Al día siguiente me había salvado de caer entre dos vagones a las ruedas de debajo, y a él le gustó tener de colega a un negro.

Una pareja de viejos iba en el vagón de debajo de nosotros. Los había visto subir tranquilamente al furgón cuando el mercancías hizo su última parada al atardecer. Yo había bajado a ver al viejo que quitaba al vagón su revestimiento de papel marrón para hacerle una cama a la vieja. Era una cosa ingeniosa que hiciera eso. Me pregunté por qué a nadie se le había ocurrido antes. El suelo de un furgón es duro, y el papel que usaban para recubrir las paredes de los vagones en los que cargaban automóviles es lo más blando que tienen. Cuando el mercancías pasa por un trecho accidentado de vía, normalmente uno se levantaba hasta que pasase. O si no se apoyaba en las palmas de las manos y botaba con las sacudidas como si los brazos fueran muelles. El viejo le había evitado aquella indignidad a su mujer. Es una postura ridícula de verdad: las manos con las palmas hacia abajo, los pies planos, y la rabadilla separada lo justo del suelo para no recibir un golpe cada vez que el mercancías daba una sacudida fuerte y saltaba. Habitualmente uno se reía cuando hacía eso, y yo no podía imaginar a la vieja en esa posición y riéndose.

Yo había vuelto al techo para estar con Morrie, pero me quedé dormido y él me despertó y me deslicé abajo. El vagón estaba negro como boca de lobo cuando entré, y oí toser a la vieja. Ella no podía dormir por culpa del traqueteo y el frío. No me apetecía molestarlos, y me instalé con las piernas colgando por la puerta abierta. Me volví a dormir en esa postura, mirando las luces de los pueblos lejanos.

El mercancías empezó a traquetear, y me desperté al ver la línea del este que se ponía roja con el amanecer. A la escasa luz, distinguí al viejo sentado con la espalda apoyada en el costado del vagón. Daba cabezadas, y la vieja descansaba en sus brazos. Luego el mercancías pitó en un cruce y los pitidos sonaron a soledad en el amanecer gris, y me volví a dormir. Cuando desperté, el sol estaba en los campos y una bandada de gorriones aceleraba al pasar junto al vagón. Yo tenía la intención de subirme al techo antes de que hubiera suficiente luz para que la pareja de viejos me viera, pero cuando me levanté el viejo me estaba mirando desde el otro lado del vagón. Estaban desayunando.

—Buenos días —dije.

Él asintió con la cabeza, masticando un sandwich.

Me estiré y me dispuse a salir para reunirme con Morrie. Lamentaba no haberme despertado a tiempo para evitarles el mal rato. En la oscuridad, yo era como el resto de los que estábamos en el mercancías y no había ninguna diferencia. Ahora la había. Lo sentía mucho. Yo estaba pasándolo mal tratando de evitar el odio en aquellos días, y me sentía mal siempre que me encontraba en una posición que se podría interpretar de esa manera. Aún me peleaba con los vagabundos; con ayuda de Morrie. Pero había aprendido a no atacar a los que no eran personalmente agresivos y sólo expresaban pasivamente lo que les habían enseñado. Y éstos eran viejos. Ella era la mujer más vieja a la que había visto viajar en los mercancías, mucho más vieja que mi madre que estaba en casa. Parecían agradables, y hubiera deseado no hacerles pasar un mal rato.

A veces yo era desagradable, porque ser decente era parecer asustado y consciente de mi «sitio». Y cuando uno es decente, ellos piensan que tienes miedo, y que estás expresando esas cualidades que hasta los niños del colegio dicen que posee nuestra raza. Yo casi siempre era desagradable. Luego Morrie me había salvado la vida, y traté de cambiar.

Cuando empezaba a trepar, el viejo me llamó:

—Ven aquí un momento.

Probablemente me quiere decir algo desagradable por estar aquí, pensé yo. Probablemente cree que es el dueño del furgón.

El mercancías hacía mucho ruido, y él hizo gesto de que me sentase. Tenían sandwiches en una maleta pequeña, y me senté delante de ella. Había dos grandes manzanas rojas entre los sandwiches envueltos en papel de parafina. La vieja, sentada con las piernas cruzadas sobre su almohadón de papel marrón, contemplaba tristemente la mañana. No eran del tipo de personas que normalmente se ven en los mercancías, ni siquiera en aquellos días.

El viejo me hizo gesto de que agarrase un sandwich. Negué con la cabeza, pero él insistió. Cogí el sandwich. Tenía algo de comer en el bolsillo de la chaqueta de Morrie, arriba, pero él insistió y sentí curiosidad y quería saber qué pasaría. Era un sandwich rico: carne fría con mostaza.

—¿Vas lejos? —gritó el viejo.

—A Alabama.

Aunque él era viejo y me habían enseñado a decir «señor», no lo dije. Decir «señor» formaba parte de eso de saber el sitio de uno. Viajando había aprendido que en realidad uno no tenía sitio; uno era igual que todos, aunque algunos no entendieran eso.

La vieja se volvió y me miró, en silencio.

—Pero Alabama está al sur —dijo el viejo—. Vamos en dirección *norte.*

—Sí, ya lo sé. Pero de este modo veré parte del país que podría no tener la oportunidad de volver a ver.

—Eso está bien. Está bien que un joven viaje.

Me alegró que él pensara eso. Yo había dejado mi casa para ganar dinero para la matrícula y terminé en los mercancías.

Había hecho autoestop hasta Denver y, entre la neblina de la mañana, antes de que el sol saliera, consideré las montañas altas, misteriosas y psíquicas, mientras viajaba con una familia que se dirigía a California en un viejo Ford. Pero no había trabajo en Denver. Había vagabundeado por ahí. Había vuelto a Oklahoma durante un tiempo, y después me subí a un mercancías para largarme. Había atravesado las Ozarks, donde unas flores naranjas con salpicaduras de rojo como los lirios atigrados crecían al lado de las vías. Crucé el oeste de

Kansas, con los campos pelados y buitres volando y los campos en movimiento con conejos de rabo negro y polvo por el aire; y chicos y adultos con palos avanzaban y los conejos saltaban delante de ellos en grupos; y el rápido torrente de agua en los canales de riego y los peces dando boqueadas en el barro donde los canales estaban secos y pudriéndose al sol donde el barro se había secado. Volví a Kansas City y fui en el Rock Island y en el MK&T a través de Topeka, Wichita y Tulsa. Eso era Oklahoma, Kansas y Colorado, y nada de trabajo, de primavera a otoño. Ahora era septiembre.

—¿Y qué harás en Alabama? —dijo él.

—Estudiar. Abrirme camino.

—¿Y qué vas a estudiar?

—Música.

—Muy bien. Los negros son buenos músicos. Te deseamos suerte, ¿verdad, madre? —tocó a la vieja.

Ella dejó de mirar por la puerta, con la distancia aún en los ojos.

—¿Qué pasa?

—El chico va a estudiar música. Le dije que le deseamos suerte, ¿verdad?

—Claro que sí. Mucha suerte. ¿No quieres otro sandwich? Hay de sobra.

Agarré el sandwich. Estaba muy rico, y lo partí para guardarle la mitad a Morrie.

—¿Vienen desde muy lejos? —pregunté.

—Venimos desde Mexia, Texas.

—Nunca estuve en Texas —dije yo—. Viví toda la vida en Oklahoma, pero nunca fui hasta tan abajo.

—Pues muy mal. Es una región estupenda.

Sonreí. Era una región estupenda para los *suyos;* a los míos no les iba demasiado bien allí, por lo que he oído.

—Si las cosas fuesen como eran hace unos años, te invitaría a ir. Nuestro chico mayor tuvo de compañero a un chico negro los cuatro años que estuvo estudiando en Amherst. Buen chaval.

La vieja resplandeció.

—Tenemos un chico de más o menos tu edad —dijo.

—¿Sí?

—Sí —afirmó el viejo—. Se marchó hace cinco años. No habíamos vuelto a saber de él hasta hace seis meses. Ahora vamos a verle, a Joplin. Le daremos una gran sorpresa. Hace cinco años no habríamos tenido que hacer el viaje de este modo.

—¿Está en Joplin, Missouri?

—Eso mismo. Lo soltarán mañana. No lo hemos visto en cinco años. Entonces era un buen chico. Todavía es un buen chico —añadió, esperanzado.

Yo no sabía qué decir. Joplin era donde se encontraba la cárcel estatal de Missouri.

—Espero que lo encuentren bien —dije, al fin.

—Gracias. Estamos muy contentos, y con muchas ganas de verlo. Cuando teníamos dinero, nos quedamos sin nuestro hijo. Ahora el dinero se ha esfumado, y nuestro hijo volverá con nosotros. Estamos muy contentos.

—Me parece que será mejor que vaya a reunirme con mi colega —dije yo—. Tenemos que llegar a Kentucky para agarrar el mercancías de la L&N que va al sur.

—Debes andarte con cuidado. Necesitamos más músicos, como Roland Hayes. Dijiste que cantabas, ¿verdad?

—No. Toco el piano.

—Bien, pues ten cuidado.

La cara de la vieja seguía radiante desde que habló de su hijo.

—Adiós —dije.

—Adiós, y ten mucho cuidado.

Me tendió un sandwich envuelto. Me lo guardé en el bolsillo y trepé por la parte de fuera del vagón.

Cuando el mercancías aminoró la marcha en los depósitos de Saint Louis, me dejé caer dentro del vagón y volví a decirles adiós. Eran unas personas muy agradables. Pensé en ellos unos días después, cuando llegamos a Decatur. Los vigilantes estaban en los depósitos del ferrocarril al llegar a la ciudad. Entraron a los vagones en busca de chicas y me sacaron y me metieron en la cárcel. En la cárcel me enteré de lo de Scottsboro, y me alegré cuando Morrie hizo todo el camino hasta Montgomery y se puso en contacto con los encargados del colegio, que finalmente me sacaron. Pensé a menudo en la pareja de viejos aquellos días que estuve en la cárcel, y sentí no haberme enterado de cómo se llamaban.

The New Yorker, 29 de abril-6 de mayo de 1996

Difícil mantenerse a su altura

El tren llegó a la ciudad a las cuatro de la mañana. Llevaba nevando desde cincuenta kilómetros antes, y el aire caliente de dentro del vagón restaurante escarchaba los cristales. Había nieve acumulada en los bordes de las ventanillas.

Había habido unas cuantas personas dentro durante la cena, y mirando por la ventanilla del vagón yo había visto a cinco o seis conejos dando saltos tranquilamente entre la nieve que caía. Se iba cómodamente en el vagón. El sonido de la plata y del hielo de los vasos había sido muy alegre. Cuando nos detuvimos en la estación, nos molestaba bajarnos del tren, pero subió el equipo a cambiar los vagones, conque decidimos agarrar un tranvía y cruzar la ciudad hasta el barrio de negros en busca de habitación. La pensión de Ma Brown estaría cojonudamente si nos quería. Caminamos hasta el tranvía y esperamos, pero no vino ninguno. Por encima el elevado pasaba como un rayo, dejando una nube de chispas azules en la nieve blanca.

Nos quedamos allí viendo cómo pasaban.

—Vamos a coger uno de ésos —dije yo—. Es más rápido.

—Sí, pero esta noche esas malditas cosas van todas en dirección contraria —replicó Joe.

—Bueno, entonces tomaremos un taxi —dije.

Estaba cogiendo frío.

—Parece que tampoco hay ninguno —exclamó Joe—. Ni taxis, ni tranvías, el elevado va en dirección contraria, y aquí estamos a menos un millón de grados.

—Vamos —dije yo—. Iremos andando.

Joe era alto y encorvado, con una sonrisa amistosa y gafas, y el paso de un campeón de marcha. Me resultó difícil mantenerme a su altura. Siempre me había resultado difícil mantenerme a la altura de Joe. La nieve caía deprisa, muy deprisa, y el viento me metió un poco por el cuello. Después de que todos se hubieran cobijado para pasar la noche, la nieve había llenado el sendero donde había estado la acera.

—Iremos por el medio de la calle —dijo Joe.

—Sí —afirmé yo—. Es más fácil andar.

Anduvimos siguiendo por donde el tranvía había hecho surcos en la nieve. La nieve se había vuelto hielo, y bajo las farolas de la calle los oxidados carriles hacían que pareciese como la mancha de un pitillo. Los surcos se llenaban enseguida de nieve reciente. Para cuando los tranvías vinieran a cargar a los que iban al trabajo, las vías estarían bien ocultas.

Las farolas y las luces de neón de las calles te hacían pensar en las Navidades cuando destellaban en la blancura. Era agradable pensar en la nieve, y un caramelo rojo que había dejado caer algún niño se había deshecho formando un arroyo rojo congelado y me recordó la primera nieve que yo había visto con sangre por encima. Fue algo hermoso y triste. De niños habíamos estado jugando con nuestros juguetes nuevos y los habíamos visto llevarse al hombre. Se había cortado y había estado allí congelándose la noche entera.

Joe y yo pasamos junto a un gato que estaba parado en la entrada de una casa, protestando furioso. Sus amos se habían olvidado de dejarle entrar a pasar la noche, y sonaba como si todo el mundo se hubiera ido a Florida, y en la ciudad sólo quedaran él, el hielo y la nieve.

—Fíjate en ese hijoputa —dijo Joe.

—Está muerto de frío —añadí.

—Le está bien empleado. Los gatos traen una mala suerte de la hostia.

—¿Te acuerdas del cuento aquel de «¿Vas a estar aquí cuando venga Martin?» —pregunté.

—Sí, me lo contó una chica en Topeka.

—Las mujeres son capaces de contar todos los cuentos verdes... son peores que los hombres a veces.

—Sí, claro que los cuentan.

Doblamos una esquina, y el viento nos agitó los faldones del abrigo entre las piernas. Nos llegaba el sonido del elevado que pasaba, unas ruedas que chirriaron al llegar a una parada. Había nieve espolvoreada en el abrigo azul de Joe. Había juguetes en uno de los escaparates de una tienda de la calle, y un ratón se estaba construyendo un nido con el relleno que sacaba de un osito de peluche. El osito de peluche no protestó cuando me detuve a mirar.

—No te pares, idiota —gritó Joe.

El viento soplaba del norte, y tuvimos que encorvarnos ligeramente hacia delante cuando nos empujó una ráfaga de aire. A veces nos poníamos de espaldas al viento.

—Es mortal, chico —dije yo.

—No dices ninguna mentira —dijo Joe.

—¿No te gustaría estar ahora en Pensacola?

—Venga, tío, no empieces con esas cosas.

—Piensa en el sol, y los barcos que suben el golfo muy limpios y blancos desde Nassau y Cuba, y los peces en el agua azul, y los largos paseos que solíamos dar por la carretera del golfo de noche con las chicas y cerveza, y el gordo que cantaba canciones cubanas de amor...

—Tú piensa en eso. Este maldito viento no para —dijo Joe—. Además, allí hay demasiados palurdos.

Subíamos una empinada cuesta, y no había pasado ningún coche en esa dirección en todo el día. La nieve era profunda, y cuando llegamos a la extensión de arriba era como andar por hierba alta detrás de conejos. Una hoja de periódico volaba delante de nosotros, agitándose y crujiendo al viento.

—¿Qué coño es esto? —preguntó Joe.

Solté una carcajada.

Un viejo blanco asomó por el umbral de una puerta. No llevaba abrigo, y hablaba con voz cansina.

—¿Sería tan amable uno de los caballeros...?

—¿Y ahora qué? —preguntó Joe.

—¿Sería tan amable uno de los caballeros, por favor...?

—Dale una limosna.

—No llevo nada suelto.

—Bueno, pues dale algo y sigamos luchando con este jodido viento.

Di al viejo una bolsa de sandwiches que había cogido en la cafetería.

—Gracias, caballeros —dijo él—. Muchísimas gracias. Muchísimas gracias.

—Sí —dijo Joe.

El viejo le miró un segundo, luego desapareció entre dos edificios. Seguimos andando por la nieve. Ahora había silencio, y la espesa nieve hacía *crunch crunch* debajo de nuestros pies.

—Ese sujeto te ve mañana con veinticinco centavos en el bolsillo y te llamará hijoputa negro —exclamó Joe.

—Vale, vale —dije yo.

Habíamos llegado donde la mayoría de los chicos solían parar cuando trabajaban en el turno de noche, y nos sentimos alegres de estar allí. Ma Brown dirigía el establecimiento y preparaba las mejores comidas de la ciudad. Era como llegar a casa. Descargamos las bolsas y cruzamos enfrente de la calle al local de Tom para tomar unos ponches calientes antes de acostarnos. El de Tom era un local en un bajo que hacía de bar y restaurante y que tendía a estar tan negro como Tom. Dentro había un grupo de clientes de pie en la barra, y en la máquina de discos sonaba *Summertime*. Dos individuos jugaban a los dados en una mesa del fondo del local, y unos del final de la barra reían algún chiste. Una chica de azul y blanco tomaba Pink Ladies con dos tipos en una mesa. Tenía las manos bonitas, y un pedrusco brillaba en uno de sus dedos con las uñas rojas. Los tipos eran bastante corpulentos, y vestían bien. Uno era enorme, la hostia de enorme. Grande como Paul Robeson, con una piel de un tono que Ma Brown llamaría «negro como se debe ser». Era negro como el este del infierno a medianoche.

—Ese chico le ha sacado los colores a esa chavala —dijo Joe.

—Pues ella parece blanca.

—Demasiado cerca de la vieja Línea Mason y Dixon para esas cosas —dijo Joe.

—Coño, ella es de los nuestros —dije yo.

—Claro, nosotros lo sabemos, pero ¿lo saben ellos?

—Esto no es el Sur, ya lo sabes.

—Y qué —dijo Joe—. ¿No te has enterado de los disturbios que tuvieron aquí? —dijo él.

—Claro que sí, pero de eso hace la hostia de tiempo —dije yo.

—La pobre pequeña idiota —dijo Joe.

Vació su vaso. La bebida estaba buena.

—¡Cómo eres, patas largas! —dije yo—. El Viejo Joe del Agujero para asomar la polla.

La chica y sus acompañantes pidieron otra ronda de bebidas. Estaban empezando a hacer ruido. Ella se levantó de la mesa y anduvo hasta la silla del tipo grande y se inclinó sobre su espalda rodeándole el cuello con los brazos. Se rió y los dientes le brillaron entre sus labios rojos. Le gritó a Tom, que estaba preparando las copas en la barra.

—¡Tommy! Éste es mi papaíto Charlie, Tommy —exclamó ella—. Es el pequeñín de mamá.

Tom, con su mandil y sus dientes blancos, estaba preparando las copas y se reía con los clientes de la barra. Su cabeza calva y negra brillaba a la luz de detrás de la barra.

La chica acarició la cabeza de su amigo. Éste sonrió y continuó bebiendo. Le gustaban, sin

embargo, las caricias y los abrazos. La chica llevaba un intenso perfume.

—¿No te parece que es guapo, Tommy?
—gritó ella.

Tommy estaba ocupado.

—¡Tommy! ¡Tommy, monada! ¿No crees
que mi niño es guapo?

—Sí, pequeña —dijo Tommy, riendo—.
¡Cuanto más negra es la mora más dulce es el jugo!

El tipo grande se estiró como un enorme
gato.

—Fíjate en ese payaso —dijo Joe, señalando la puerta.

—Le pasa algo —dije yo.

Los clientes de la barra estallaron en carcajadas justo cuando el hombre entró a la luz brillante del bar. Se quedó allí parado, parpadeando
con la luz y tambaleándose.

—Ninguno de vosotros, hijoputas, se va
a meter conmigo ni con nadie de mi familia
—dijo.

Se tambaleaba, paseando la vista por el local.

—Nada de eso —dijo—. Ni con nadie de
mi jodida familia.

Tenía las rodillas blancas donde había caído en la nieve.

—Aquí, Jack, te cree y no lo niega —dijo
alguien.

—¡Cuidado conmigo! —dijo el tipo, tambaleándose todavía.

Le habían entrado bien. Los de la barra no
se le enfrentaron, de modo que se dirigió hacia
allí.

—Nadie se mete conmigo cuando le he pegado al frasco —dijo—. Ni mi jefe me busca las pulgas entonces.

Los otros volvieron a sus copas.

—Vámonos a casa de Ma —dijo Joe— antes de que Ike el Grande entre a cobrar su parte. Él y sus hombres verán a esa tía y a lo mejor piensan que es blanca y se ponen a armar lío.

Ike el Grande controlaba todos los bares de la zona.

—Ike me la suda —dije yo.

—Vámonos o se puede armar una gorda.

—Vale. De todos modos ya estuvo bien.

Cuando nos dirigíamos a la salida del bar, Ike el Grande y sus hombres irrumpieron por la puerta todos a la vez. Olimos el pestazo a bebida que despedían cuando nos cruzamos con ellos cerca de la puerta.

—No tengáis prisa, chicos —gritó Tom desde la barra.

—Lo que pasa —le respondió Joe, a gritos— es que estamos muy cansados. Tuvimos un viaje muy duro.

—Si es así, buenas noches, chicos —dijo Tom.

—Buenas noches, chicos —gritó la chica.

Unos cuantos de los de la barra se pusieron a cantar «Buenas noches, señoras», pero uno de los del grupo de Ike metió una moneda en la máquina de discos y se callaron inmediatamente.

La chica resultaba realmente encantadora cuando volví la vista desde la puerta. Toda de azul y blanco y la sonrisa todavía muy agradable a pesar de que estaba bebida. Y cuando el tipo se puso de pie, hacían una buena pareja. Aunque él se tambaleaba, secándose la boca con el dorso de una mano y sujetándose al respaldo de su silla con la otra, los dientes blancos como la leche en su cara negra, uno no podía evitar sino ver el bonito animal que puede llegar a ser un hijoputa. Allá en el Sur los llaman «negros de buena raza» y era del tipo de los que crían como sementales. Cuando volvía a casa de Ma con Joe, me pregunté qué era lo que nos habían hecho. Cójase a un tipo grande como aquél; hay muchos así en el Sur, pero arrastran eso como todos los demás. Deben de habernos enseñado algo durante la época de la esclavitud, como hacen para entrenar un perro de caza. Hasta cierto punto teníamos algo; luego, después de eso, fuera lo que fuese, ya no lo teníamos. Una cosa, somos como lobos solitarios, cada uno tratando de luchar por su cuenta; como el de Birmingham que se enfrentó a toda la policía él solo. Una vez tuve que luchar con una banda entera de blancos yo solo. Iba a bañarme en una poza y pasé junto al chico blanco sentado en la cerca de una huerta.

—*Hola, Trozo de Betún. Betún. ¡Betún! Betún, seguro que te llamas Rastus —gritó. Era más o menos de mi tamaño y llevaba el mismo tipo de mono de mecánico. Yo pasé por delante de él como si nada, pero continuó gritando—: Betún, betún, fijaos en ese betún —conque dije:*

—*Ese mamón blanco quiere pelea —y me di la vuelta y volví sobre mis pasos. El chico seguía gritando y cuando llegué junto a él se puso a soltar carcajadas. Yo estaba muy cabreado ya, y cuando me eché sobre él no dije nada. Lo derribé de la cerca y le partí la boca y él se puso a gritar...* Joe y yo ya estábamos de vuelta en casa de Ma Brown y subíamos la escalera hacia nuestras habitaciones del segundo piso. En el descansillo había una mesa con un ejemplar de los Singing Boys colgado de la pared. Yo había leído sobre ellos en el instituto... *Total, que el chico blanco gritó:*

—Venid en mi ayuda —y empezaron a tirarme piedras en la cabeza desde los árboles, y él consiguió levantarse y agarrarme. Pensaba en esto cuando se produjo un disparo, luego cuatro más, que procedían de algún sitio muy cerca de la pensión de Ma.

—Ése es Ike, apuesto lo que sea —dijo Joe.

—Ven, podemos ver el bar de Tom desde la ventana de mi habitación.

—Ya sabía yo que no le iba a gustar que ese tipo enorme y esa chica estuvieran juntos —dijo él.

Corrimos escalera arriba y miramos por la ventana. Abajo en la calle distinguimos a Ike y sus hombres delante del bar de Tom. Una bala zumbó calle arriba y se estrelló contra el aislante de una farola de delante de casa de Ma, y oí el *bang, bang, bang* de las armas. Hubo unos siete estampidos.

Entonces vimos al tipo enorme. Venía en nuestra dirección y corría como en una carrera de relevos y cuando pasó por el círculo de luz estaba desnudo y había algo rojo en la parte de delante de su cuerpo, que se movía y brillaba a la luz. Joe había abierto la ventana y cuando el tipo pasó, dando zancadas muy largas, pudimos ver que movía los labios como si contara para sí mismo. Era raro que pudiera correr tanto después de todas las copas. En la nieve, con su piel negra brillando, parecía más grande incluso que Paul Robeson.

Ike y los suyos habían dejado de disparar, y se pusieron a gritar para armar lío. Yo empecé a decirle algo a Joe, y éste gritaba y empezó a maldecir y a hablar de una ametralladora. Temblaba como una hoja de lo enfadado que estaba.

Entonces se oyeron sirenas, e Ike y los suyos saltaron dentro de sus coches y se largaron. Tomaron la curva sobre dos ruedas. Empezaron a abrirse ventanas, y se abrieron puertas a lo largo de toda la calle. Joe me gritó que fuera con él, y justo cuando me disponía a alejarme de la ventana, miré y vi al tipo grande doblar la esquina donde estaba el bar de Tom. Ahora corría despacio, y cuando dobló la esquina se echó encima del grupo de clientes que estaba parado a la puerta.

Corrí para alcanzar a Joe, porque éste tenía un cabreo del carajo y podría tratar de dejar vacío el local él solo. Tropecé en la profunda nieve y resbalé en el barro de cerca del bordillo donde había una tubería caliente que llevaba vapor al edificio. Dios santo, pensé, el pobre tipo está todo herido y tan borracho y tan confuso que no sabe adónde va. Agarré a Joe antes de que éste llegara, y cuando seguíamos la marcha, apareció un coche patrulla con la sirena apagándose. Los policías se precipitaron dentro y los seguimos.

El tipo grande estaba tumbado con los calzoncillos puestos en unas mesas que habían juntado al fondo del local, y la chica estaba frotándole el cuerpo con algo de un frasco. Se reía.

La putilla, pensé. La maldita putilla cachonda.

Luego miré a Tom, y éste se estaba riendo con la tripa agitándosele debajo de su inmaculado mandil blanco, y los tipos que estaban a la puerta se reían, y Sam, el camarero, que salió de la cocina con una olla humeante en las manos, se reía. Todos los del local se reían excepto Joe, los policías y yo. Todavía estábamos quietos; luego miré a Joe. Joe me miró a mí. Un agente gritó:

—¿Qué coño pasa aquí?

Y Joe gritó:

—¿Quién le pegó un tiro a ese hombre?

Parecía que los ojos de Joe iban a salirle disparados de la cabeza y le corrían por la cara regueros de sudor. El grupo se rió todavía más alto después de que el policía preguntara quién le había pegado un tiro al tipo grande, y entonces el policía agarró al tipo y lo calmó de un porrazo. Los otros se echaron atrás pero todavía se reían algo. Entonces Tom trató de recuperar el aliento y explicó a los policías.

—No ha pasado nada, chicos —dijo.

—Eso, no ha pasado nada —dijo otro de los presentes.

Tom se esforzaba por tomar aliento. Los policías no estaban convencidos de que no pasara nada.

—¿Qué coño pasó? —dije yo.

La chica todavía estaba bastante colocada y no paraba de reír.

—Que esa chica cierre la boca —dijo alguien.

—Todo es por una apuesta —dijo Tom, riéndose.

Derribó un vaso al apoyarse en la barra, todavía tratando de recuperar el aliento.

—¿Qué tipo de jodida apuesta?

—Sólo una apuesta, chico. Ja, ja, ja.

—¿Le han hecho daño? —preguntó alguien que acababa de entrar.

—Fíjate en eso, Al, ¿ves eso? Así es tu jodido Chicago. Aquí matan a un hombre por una apuesta —gritó Joe.

Chillaba a voz en grito.

—Ja, ja, maldita sea, no os pongáis nerviosos, chicos. Sólo es una apuesta —dijo Tom, riéndose.

Por fin había recuperado el aliento y podía hablar bien. Al fondo el tipo grande respiraba con menos dificultad, y la chica, que se seguía riendo, le frotaba con una toalla.

—Esto es cosa de uno de los de Ike —dijo uno.

—Nada de eso —dijo otro—. A Ike le importa un pito todo.

—Tío, seguro que él no fue, y le gusta cómo juega, además.

—Ya veis —dijo Tom—. Charlie era amigo de Mister Ike cuando los dos eran pequeños, y cuando Charlie le vio entrar, se acordó de él y le invitó a una copa.

Uno se echó a reír otra vez.

—Así fue —dijo un cliente.

—Charlie —siguió Tom— quería que Mister Ike tomara un Singapore Sling, pero Mister Ike dijo que era demasiado dulce y no le sentaba bien beber cosas así.

—Sigue, Tom, cuenta qué pasó —dijo un policía.

—Bueno, pues Charlie le dijo a Mister Ike que estaba muy confundido porque el azúcar es bueno porque da energía, y él lo sabía porque es jugador profesional de rugby y tomaba caramelos antes de todos los partidos.

—Ésa sí que es buena —dijo uno.

—Calla la boca —dijo un policía.

Tom siguió.

—Mister Ike le dijo a Charlie que eso era mentira y que parecía borracho y que se dejara de tonterías y de perder el tiempo con mujeres a aquellas horas de la mañana. Conque Charlie apostó con Mister Ike que podía tomar un Sling y dar la vuelta a la manzana corriendo totalmente desnudo sin tener frío. Mister Ike la aceptó, y le dijo que se quitara la ropa y lo demostrara.

—Sí, sí, de modo que salió corriendo y le dispararon, fue eso, ¿no? —dijo el policía.

—Nada de eso, eso no era sangre. Miss Flo le echó salsa de tomate encima cuando salía, y los disparos fueron la señal de salida que Mister Ike hizo para que Charlie empezara a correr.

—Pues valiente gilipollez —dijo uno que había llegado tarde. La gente de la puerta empezó a irse, y los policías se fueron en busca de Ike el Grande.

—Vámonos de aquí —dijo Joe.

Cuando salimos, las luces se estaban apagando en la calle y el camión del lechero hacía nuevas marcas en la nieve. Según andábamos, miré a Joe y sonreí.

—Valiente jodienda —dijo él.

A los dos se nos quitó un peso de encima. A mí se me quitó un peso muy grande.

La pelota negra

Me había dado mucha prisa durante toda la primera parte del día fregando el vestíbulo, poniendo arena limpia en los jarrones verdes, barriendo y quitando el polvo de las salas, y recogiendo los desperdicios que avanzado el día serían quemados en el incinerador. Y sólo me había detenido una vez para conseguirle un bote de leche a Mrs. Johnson, que tenía un nuevo bebé y que siempre era agradable con mi chico. Había empezado a las seis en punto, y hacia las ocho corrí hasta los cuartos de encima del garaje donde vivíamos para vestir al chico y darle la fruta y los cereales. Él estaba muy serio sentado allí en la trona y se interrumpió varias veces con la cuchara a medio camino de la boca para mirarme mientras yo masticaba una tostada.

—¿Qué te pasa, hijo?

—Papá, ¿yo soy negro?

—Claro que no, tú eres trigueño. Ya sabes que no eres negro.

—Bueno, pues ayer Jackie dijo que yo era negro.

—Sólo estaba bromeando. No debes dejarles que te tomen el pelo.

—El color trigueño es mucho más bonito que el blanco, ¿verdad, papá?

(Tenía cuatro años, era un niño trigueño con un pelele azul, y cuando hablaba y se reía con compañeros de juegos imaginarios, su voz era suave y rotunda en su acento como la de la mayoría de los negros americanos.)

—Algunas personas piensan eso. Pero ser norteamericano es mejor que las dos cosas, hijo.

—¿De verdad, papá?

—Claro que sí. Y ahora olvida eso de que eres negro, y papá volverá en cuanto termine de trabajar.

Lo dejé jugando con sus cachivaches y un libro para colorear hasta mi regreso. Era un chico bastante agradable, como él mismo solía decir después de algunas tardes especialmente tranquilas mientras yo trataba de estudiar, y a cambio de esa tranquilidad él esperaba recibir algún caramelo o una «foto de una película», y muchas veces yo lo dejaba solo mientras cumplía con mis obligaciones en los apartamentos.

Yo había vuelto y empezaba a sacar brillo a los picaportes de la puerta principal cuando se acercó un tipo y se quedó mirando desde la calle. Era delgado y tenía la cara roja, con ese color rojo que se produce con una prolongada dieta de determinados alimentos. Se ve a muchos así en el Sur, y aquí en el Sudoeste no son raros. Seguía allí mirando, y notaba sus ojos en mi espalda mientras limpiaba los metales.

Yo prestaba una atención especial a esos metales porque para Berry, el encargado, el brillo de esos metales de los revestimientos y los picaportes de las puertas era la señal de mi laboriosidad. Casi era la hora de que llegase.

—Buenos días, John —diría él, sin mirarme a mí pero mirando los metales.

—Buenos días, señor —diría yo, sin mirarle a él pero mirando los metales. Normalmente su cara se reflejaba en ellos. Para él, yo *estaba* allí. Aparte de aquellos metales, su dinero y la media docena o así de plantas de su despacho, no creo que tuviera ningún otro interés en la vida.

No debería haber ni un fallo aquella mañana. A dos colegas que trabajaban en el edificio del otro lado de la calle ya los habían despedido porque unos blancos habían solicitado su puesto, y con el chico en aquella edad en que necesitaba comidas especiales y mis planes de volver a matricularme en el instituto el próximo curso, no me podía permitir que algo como eso del otro lado de la calle me dejase sin oportunidades. En especial desde que Berry le había dicho a uno de mis amigos del edificio que no le gustaba aquel «jodido negro estudiado».

Estaba tan ocupado con el metal que cuando el tipo habló, tuve un sobresalto.

—¿Cómo va eso? —dijo. Hablaba con la prevista voz cansina. Pero faltaba algo, algo que normalmente estaba detrás de ese modo de arrastrar la voz.

—Buenos días.

—Parece que le pegas con ganas a esos metales.

—Se ponen muy sucios de un día para otro.

Esa parte no faltó. Cuando tienen algo que decirnos, siempre empiezan como si fueran conocidos.

—¿Llevas mucho trabajando aquí? —preguntó, apoyando el codo en la columna.

—Dos meses.

Le di la espalda mientras seguía trabajando.

—¿Trabajan aquí más personas de color?

—El único soy yo —mentí. Había otros dos más. En cualquier caso, no era cuestión suya.

—¿Hay mucho que hacer?

—Bastante —dije yo. ¿Por qué no entra y pide trabajo?, pensé. ¿Por qué me molesta? ¿Por qué me tienta para que lo asfixie? ¿Es que no sabe que no nos da miedo luchar contra los suyos así?

Cuando me di la vuelta, agarrando el frasco para echar más líquido de limpiar en el trapo, sacó una petaca del bolsillo de su chaqueta azul. Me fijé en que sus manos tenían cicatrices como si se las hubiera quemado.

—¿Nunca has fumado Durham? —preguntó.

—No, gracias —dije yo.

Él se rió.

—No estás acostumbrado a estas cosas, ¿verdad?

—¿Acostumbrado a qué?

Como el tipo siguiera yo perdería el control.

—A que alguien como yo te ofrezca algo que no sea una soga.

Me detuve para mirarle. Estaba allí parado sonriendo con la petaca en la mano tendida. Tenía muchas arrugas en torno a los ojos, y tuve que sonreír como respuesta. A pesar de mí mismo, tenía que sonreír.

—¿Seguro que no quieres fumar Durham?

—No, gracias —dije yo.

Él estaba confuso por la sonrisa. Una sonrisa no cambiaba las cosas entre los míos y los suyos.

—Admito que no es mucho —dijo él—. Pero es totalmente distinto.

Volví a dejar de sacar brillo para ver adónde querría ir él después.

—Pero tengo algo que de verdad merece mucho la pena —dijo—. Te lo cuento, si estás interesado.

—Vamos a oírlo —dije yo.

Aquí, pensé, es donde intenta engañar con un viejo «George».

—Verás, vengo del sindicato y tratamos de organizar un grupo con el servicio de edificios de esta zona. A lo mejor has leído algo en los periódicos.

—Vi algo sobre eso, pero ¿qué tiene que ver conmigo?

—Bueno, en primer lugar haremos que te hagan trabajar menos. Me refiero a menos horas y sueldo más alto, y mejores condiciones en general.

—Lo que quieres decir de verdad es que vienes aquí y a mí me echan. Los sindicatos no quieren negros entre sus miembros.

—Te refieres a que *algunos* sindicatos no los quieren. Era así, pero las cosas han cambiado.

—Escúchame bien, amigo. Estás perdiendo el tiempo y haciendo que yo pierda el mío. Tus puñeteros sindicatos son igual que todos los demás de este país... sólo para blancos. ¿Cuándo *os* ha importado nunca un negro? ¿Por qué tratáis de organizar a los negros?

La cara se le puso un poco blanca.

—¿Ves estas manos?

Estiró las manos.

—Sí —dije yo, mirando, no sus manos, sino cómo se le quedaba la cara sin color.

—Bien, pues las cicatrices me quedaron de Macon County, Alabama, por decir que un amigo mío de color estaba en otro sitio el día que se suponía que había violado a una mujer. También estaba, porque yo estaba con él. Yo y él tratábamos de que nos prestasen unas semillas a ochenta kilómetros cuando pasó eso... si es que pasó. Me hicieron las cicatrices con una tea de gasolina y me echaron de la comarca porque decían que yo había tratado de ayudar a un negro de mierda para que una blanca quedase por mentirosa. Esa misma noche a él le colgaron y quemaron su casa. Le hicieron eso a él y a mí esto, y los dos estábamos a ochenta kilómetros de distancia.

Se miraba las manos que tenía estiradas mientras hablaba.

—Dios santo —fue todo lo que yo pude decir. Me sentí muy mal cuando le miré las manos desde cerca por primera vez. Aquello debió de ser espantoso. La piel estaba fruncida y arrugada y parecía como si la hubiesen frito. Unas manos fritas.

—Desde esa vez he aprendido muchas cosas —dijo—. Me he dedicado más o menos a esto. Primero fue con los segadores, y cuando me calaron y me pusieron las cosas demasiado difíciles dejé el campo y vine a la ciudad. Primero fue en Arkansas y ahora es aquí. Y cuanto más me muevo, más cosas veo, y cuantas más veo, más trabajo.

Ahora me miraba a la cara, con unos ojos azules en su piel roja. Parecía muy sincero. No dije nada. No sabía qué decir ante aquello. Puede que él estuviera diciendo la verdad; yo no lo podía saber. Volvía a sonreír.

—Escucha —dijo—. Y no trates de hacer como si no te importara. Habrá una serie de reuniones en este número a partir de esta tarde, y me gustaría mucho verte por allí. Trae a los amigos que quieras.

Me tendió una tarjeta con un número y las ocho de la tarde escrito en ella. Sonrió y yo cogí la tarjeta e iba a estrecharle la mano pero se dio la vuelta y bajó los escalones hasta la calle. Noté que cojeaba al alejarse.

—Buenos días, John —dijo Mr. Berry. Me volví y allí lo tenía; bombín, levita, bastón, gafas de pinza, y todo. Se quedó mirando los metales como la malvada madrastra su espejo en el cuento que al chico le gustaba tanto.

—Buenos días, señor —dije yo.

Debería haber terminado mucho antes.

—¿Quería verme a mí el hombre al que vi irse, John?

—No, no, señor. Sólo quería comprar ropa vieja.

Satisfecho de mi trabajo por aquel día, entró, y yo volví a las habitaciones de encima del garaje a cuidar de mi hijo. Eran cerca de las doce.

Encontré al chico empujando un juguete arriba y abajo por debajo de una silla de la pequeña habitación que yo utilizaba para estudiar.

—Hola, papá —exclamó él.

—Hola, hijo —exclamé yo—. ¿Qué estás haciendo hoy?

—Bueno, estoy jugando al camionero.

—Yo creía que tenías que levantarte para jugar a eso.

—No con este tipo, papá.

Yo agarré el juguete.

—Ah —dije—. Con *este* tipo.

—Papá, te estás burlando de mí. Siempre te burlas, ¿verdad, papá?

—No. Cuando eres malo no me burlo, ¿verdad?

—Creo que no.

En realidad, él no lo era... o sólo lo suficiente para que fuera innecesario preocuparme porque no lo fuera.

El asunto del camión pronto le absorbió, y yo fui a la cocina a prepararle el almuerzo y a calentar café para mí.

El chico tenía buen apetito, conque no le tuve que dar de comer. Le puse delante la comida y me senté a estudiar, pero la mente se me iba a otra cosa, así que me levanté y llené la pipa esperando que eso me ayudaría, pero no lo hizo, conque dejé el libro a un lado y agarré *La condición humana,* de Malraux, que me había dado Mrs. Johnson, y traté de leer mientras tomaba el café. Tuve que dejarlo también. Aquellas manos no se me iban de la cabeza y no conseguía olvidar al tipo.

—Papá —dijo el chico, en voz baja; siempre hablaba en voz baja cuando yo estaba ocupado.

—Dime, hijo.

—Cuando sea mayor creo que conduciré un camión.

—¿De verdad?

—Sí, y entonces podré llevar muchos botones en la gorra como los que traen la carne a la tienda. Vi a uno de color con ellos puestos hoy, papá. Miraba por la ventana y hoy el camión lo conducía uno de color y, papá, tenía dos botones en la gorra. Los vi muy bien.

Había dejado de jugar y todavía estaba de rodillas, al lado de la silla, con su mono azul. Cerré el libro y me quedé mirando al chico un rato. Yo debía de tener un aspecto raro.

—¿Qué te pasa, papá? —preguntó él. Le expliqué que estaba pensando, y me levanté y me dirigí a la ventana para mirar. Él estuvo callado un rato; luego se puso a hacer rodar nuevamente el camión.

Lo único agradable de aquellas habitaciones era que estaban altas y ofrecían una vista en todas las direcciones. Era por la tarde y el sol brillaba. En uno de los lados, un chico y una chica jugaban al tenis en el camino de entrada. Al otro lado de la calle un grupo de chicos pequeños con trajes de playa de tonos claros jugaba en un espacio alargado de césped delante de un edificio blanco de piedra. Su niñera, vestida completamente de blanco a no ser por sus gafas oscuras, que vi cuando alzó la cabeza, estaba sentada muy tiesa como en una foto, inclinada sobre un libro que tenía en las rodillas. Al jugar los niños, el viento me traía sus gritos hasta donde estaba, y al mirar, una bandada de palomas descendió sobre el paseo cerca del terreno verde, pero alzaron el vuelo de nuevo arremolinándose cuando otro chico subió dando saltos por el paseo tirando de una especie de juguete. Los chicos lo vieron y corrían hacia él en grupo cuando la niñera alzó la vista y los llamó. La mujer gritó algo al chico y señaló en dirección a los garajes de donde él venía. Vi que el chico se volvía lentamente y tiraba de su juguete, una especie de pájaro que agitaba las alas como un águila, lentamente detrás de él. Se detuvo y arrancó una flor de uno de los macizos que bordeaban el paseo, volviéndose para mirar rápidamente a la niñera, y luego se alejó corriendo por el paseo. El chico era Jackie, el hijo pequeño del jardinero blanco que trabajaba al otro lado de la calle.

Cuando me di la vuelta, me fijé en que mi chico había venido a mi lado.

—¿Qué estás mirando, papá? —dijo.

—Creo que papá está mirando el mundo.

Entonces me preguntó si podía salir y jugar con su pelota, y como yo mismo tendría que bajar enseguida a regar el césped, le dije que muy bien. Pero él no conseguía encontrar la pelota; tuve que buscársela yo.

—De acuerdo —le dije—. Pero no te pongas a interrumpir el paso a nadie y no debes hacer un montón de preguntas.

Siempre le advertía sobre eso, aunque servía de poco. Corrió escalera abajo, y pronto oí el *bump bump bump* de su pelota, que botaba contra las puertas del garaje de abajo. Pero como no hacía mucho ruido, no le dije que parase.

Agarré el libro para volver a leer, y debí de quedarme dormido inmediatamente, pues cuando me desperté ya era casi hora de ir a regar el césped. Cuando bajé el chico no estaba. Le llamé, pero no hubo respuesta. Luego fui a la calleja de detrás de los garajes para ver si estaba jugando allí. Había tres chicos blancos mayores que hablaban sentados encima de unas viejas cajas de embalaje. Parecieron inquietos cuando me acerqué. Les pregunté si habían visto a un niño negro, pero dijeron que no. Luego seguí más allá y llegué a la parte de atrás de la tienda de comestibles donde se detenían los camiones, y pregunté a uno de los que trabajaban allí si había visto a mi chico. Dijo que se había pasado la tarde trabajando en el muelle de carga y que estaba seguro de que el chico no había andado por allí. Cuando me alejaba, sonó la sirena de las cuatro y tuve que ir a regar el césped. Me preguntaba adónde habría ido el chico. Según volvía a la calleja cada vez me sentía más alarmado. Entonces se me ocurrió que podría haber ido a la parte de delante aunque le había advertido que no lo hiciera. Claro, allí era a donde había ido, a la parte de delante, para sentarse en la hierba. Me reí de mí mismo por haberme asustado y decidí no castigarle, aunque Berry me había dado instrucciones de que no apareciese por la parte de delante sin mí. Un chico de esa edad podía hacer esas cosas.

Cuando di la vuelta al edificio, pasados los nuevos setos de hoja perenne, le oí llorar con aquel tono de voz que ningún otro niño tiene, y cuando llegué me lo encontré parado mirando a la ventana de arriba con lágrimas en la cara.

—¿Qué tienes, hijo? —pregunté—. ¿Qué ha pasado?

—Mi pelota, mi pelota, papá. Mi pelota —gritó, mirando la ventana.

—Sí, hijo. Pero ¿qué pasa con la pelota?

—Él la tiró dentro por esa ventana.

—¿Quién la tiró, hijo? Deja de llorar y cuéntaselo a papá.

Hizo un esfuerzo para parar, secándose las lágrimas con el dorso de la mano.

—Un chico blanco muy grande me pidió que le tirase la pelota y él la agarró y la tiró por esa ventana de ahí arriba y se marchó corriendo —dijo, señalando.

Alcé la vista justo cuando Berry aparecía en la ventana. La pelota había entrado en su despacho.

—John, ¿es ese chico tu hijo? —soltó.

Tenía la cara roja.

—Sí, señor, pero...

—Bien, pues ha tirado su jodida pelota y destrozado una de mis plantas.

—Sí, señor.

—Ya sabes que no tenía nada que hacer aquí delante, ¿o no?

—¡Sí!

—Bien, pues si le vuelvo a ver alguna vez por aquí, tú te vas a encontrar sin tus negras pelotas. Y ahora llévalo atrás y luego sube aquí y arregla todo el lío que ha montado.

Le lancé una mirada dura y luego agarré al chico de la mano para llevarle de vuelta a nuestro alojamiento. Pasé un mal momento al ver que volvíamos andando, y me arañé al tropezar en los setos cuando dábamos la vuelta al edificio.

El chico ya no lloraba, y cuando bajé la vista hacia él, el dolor de mi mano hizo que me fijara que estaba sangrando. Cuando llegamos arriba, senté al chico en una silla y fui a buscar yodo para curarme la mano.

—Si me preguntara alguien, chico, diré que tu cara necesitaba un buen lavado.

Él no contestó entonces, pero cuando salí del cuarto de baño parecía más dispuesto a hablar.

—Papá, ¿qué quiso decir ese hombre?

—¿Decir con qué, hijo?

—Con lo de la pelota negra. Ya sabes, papá.

—Ah... eso.

—Tú lo sabes, papá. ¿Qué quiso decir?

—Quiso decir, hijo, que si tu pelota entraba otra vez en su despacho, papá tendría que buscar las viejas pelotas negras.

—Ah —dijo, otra vez muy pensativo. Luego, al cabo de un momento me dijo—: Papá, ese blanco no debe de ver muy bien, ¿verdad, papá?

—¿Por qué dices eso, hijo?

—Papá —dijo con impaciencia—. Todo el mundo ve que mi pelota es blanca.

Por segunda vez aquel día le miré durante largo rato.

—Sí, hijo —dije—. Tu pelota *es* blanca —o casi blanca, en cualquier caso, pensé.

—¿Jugaré yo con la pelota negra, papá?

—En su momento, hijo —dije yo—. En su momento.

Él ya había jugado con una pelota así; eso lo descubriría más adelante. Ya estaba aprendiendo las reglas del juego, pero no lo sabía. Sí, jugaría con la pelota. Efectivamente, pobre niñito mío, jugaría hasta que se cansara de jugar. Sí, el viejo juego. Pero ya le contaría las reglas más adelante.

La mano todavía me dolía del arañazo mientras tiraba de la manga para regar el césped, y al mirar la mancha de yodo, pensé en las manos fri-

tas de aquel tipo, y me toqué el bolsillo para ase-
gurarme de que todavía tenía la tarjeta que me
había dado. A lo mejor había otro color distinto al
blanco en la vieja esfera del mundo.

El Rey del Bingo

La mujer de enfrente de él estaba tomando cacahuetes tostados que olían tan bien que casi no podía contener el hambre. No podía ni siquiera dormir y deseaba que se dieran prisa y empezara el bingo. Allí, a su derecha, dos tipos estaban bebiendo vino de una botella envuelta en una bolsa de papel, y podía oír cómo tragaban suavemente en la oscuridad. Su estómago hizo un gruñido sordo, como un retortijón. Si esto fuera el Sur, pensó, todo lo que tendría que hacer es echarse hacia delante y decir: «Señora, deme unos pocos de esos cacahuetes, por favor, señora» —y ella me pasaría la bolsa y no pensaría nada de aquello. O podría pedirles a los tipos un trago del mismo modo. La gente de allá en el Sur se mantiene así de unida; ni siquiera tienen que conocerte. Pero aquí arriba era diferente. Pídele cualquier cosa a una persona, y pensará que estás loco. Bien, pues yo no estoy loco. Simplemente estoy sin blanca, porque no tengo partida de nacimiento para conseguir un trabajo, y Laura se va a morir porque no tengo dinero para un médico. Pero no estoy loco. Y sin embargo un punto de duda se concentraba en su mente cuando miró hacia la pantalla y vio al héroe que entraba a hurtadillas en un cuarto a oscuras y recorría con la luz de una linterna una pared con estanterías de libros. Ahí es donde encuentra la trampilla, recordó.

El hombre atravesaría bruscamente por la pared y encontraría a la chica atada a una cama, con brazos y piernas separados, y la ropa hecha jirones. Se rió para sí mismo. Había visto la película tres veces, y ésta era una de las mejores escenas.

El tipo de su derecha le susurró con los ojos muy abiertos a su acompañante:

—Tío, ¡fíjate en eso!

—¡Joder!

—¿No te gustaría tenerla atada así?

—¡Oye! ¡Ese idiota la va a soltar!

—Claro, tío, está enamorado de ella.

—¡Enamorado o no!

El hombre se agitó impaciente a su lado, y él trató de que le interesara la escena. Pero Laura no se le iba de la cabeza. Cansado de repente de ver la película, volvió a mirar hacia donde el rayo blanco se filtraba desde la sala de proyección de encima del entresuelo. Empezaba pequeño y se hacía más grande, con partículas de polvo que bailaban en su blancura cuando ésta llegaba a la pantalla. Era extraño que el rayo siempre alcanzara la pantalla y no se dispersara y cayese en otro sitio. Pero lo tenían previsto. Todo estaba previsto. Pero supongamos que cuando muestran a esa chica con el vestido desgarrado, la chica empezara a quitarse el resto de la ropa, y cuando el tipo entrara no la desatase sino que la mantuviera como estaba y se quitara su propia ropa. *Eso* merecería la pena verlo. Si una película se descontrolara así aquellos tipos se volverían locos. Sí, ¡y habría tanta gente aquí que no se podría encontrar asiento en nueve meses! Una extraña sensación le recorrió la piel. Se estremeció. Ayer había visto una chinche en el cuello de una mujer cuando andaban por una calle muy iluminada. Pero al explorar su muslo por un agujero del bolsillo sólo encontró carne de gallina y antiguas cicatrices.

La botella volvió a borbotear. Cerró los ojos. Ahora una música romántica acompañaba la película y pitidos de tren sonaban a lo lejos, y él era otra vez un chaval que andaba por un puente del ferrocarril en el Sur, y veía acercarse el tren, y corría en la dirección opuesta lo más rápido que podía, y oía los pitidos, y llegaba al final del puente y saltaba a tierra firme justo a tiempo, con la tierra temblando bajo sus pies, y sentía alivio cuando corría por el terraplén sembrado de escoria camino de la carretera, y al volver la vista descubría con horror que el tren había dejado las vías y le seguía justo por el centro de la calle, y todos los blancos se reían cuando él corría gritando...

—¡Despierta, amigo! ¿Qué coño pretendes gritando de ese modo? ¿Es que no te das cuenta de que queremos ver la película?

Miró al hombre con gratitud.

—Lo siento, amigo —dijo—. Debo de haber soñado.

—Bien, pues ten, toma un trago. Y no vuelvas a hacer más ruido así, ¡joder!

Le temblaban las manos cuando echó atrás la cabeza. No era vino, sino whisky. Whisky de centeno. Tomó un trago profundo, decidió que era mejor no tomar otro, y devolvió la botella a su dueño.

—Gracias, amigo —dijo.

Ahora notaba que el frío whisky abría un sendero caliente justo por el centro de su cuerpo, y el sendero se hacía más ardiente e intenso según avanzaba. No había comido en todo el día, y eso le hacía sentirse mareado. El olor a cacahuetes le apuñalaba como una navaja, y se levantó y encontró asiento en la fila del medio. Pero en cuanto se sentó, vio una hilera de chicas de cara intensa, y se volvió a levantar, pensando: Estas chicas deben de haber estado bailando el *lindy-hop* en alguna parte. Encontró asiento varias filas más adelante cuando se encendieron las luces, y vio que la pantalla desaparecía detrás de un pesado telón rojo y oro; luego el telón se alzó, y el hombre con el micrófono y un ayudante de uniforme salieron al escenario.

Tocó los cartones del bingo, sonriendo. Al tipo de la puerta no le gustaría si supiera que él tenía *cinco* cartones. Bueno, no todos jugaban al bingo; y ni siquiera con cinco cartones tenía muchas posibilidades. Por Laura, pensó, debía tener fe. Examinó los cartones, cada uno con sus diferentes números, taladrando el agujero libre del centro de cada uno y extendiéndolos cuidadosamente por su regazo; y cuando las luces disminuyeron, se sentó echado hacia delante para así poder mirar sus cartones y la rueda del bingo con un solo movimiento de ojos rápido.

Delante, al final de la oscuridad, el hombre del micrófono apretaba un pulsador unido a un cable largo y hacía girar la rueda del bingo y decía el número cada vez que se detenía la rueda. Y cada vez que se oía la voz, él recorría rápidamente con el dedo los cartones buscando el número. Con cinco cartones tenía que hacerlo rápido. Se puso nervioso; eran demasiados cartones, y el hombre iba de-

masiado deprisa con su chirriante voz. A lo mejor
sólo debería elegir uno y dejar a un lado los otros.
Pero tenía miedo. Le entró calor. Se preguntaba
cuánto costaría un médico para Laura. Deja eso,
¡fíjate en los cartones! Y con desesperación oyó que
el hombre decía tres números seguidos que él no
tenía en ninguno de los cinco cartones. De ese modo nunca ganaría...

Cuando vio la fila de agujeros pinchados
en el tercer cartón, quedó paralizado y oyó que el
hombre decía tres números antes de echarse hacia
delante, gritando:

—¡Bingo! ¡Bingo!

—¡Que se calme ese idiota! —gritó alguien.

—¡Suba allí, tío!

Fue dando tumbos por el pasillo y subió los
escalones hasta el escenario bajo una luz tan intensa y brillante que durante un momento lo ce-
gó, y notaba que se había movido bajo el embrujo
de algún poder extraño, misterioso. Sin embargo,
era tan conocido como el sol, y él sabía que se trataba del perfectamente conocido bingo.

El hombre del micrófono estaba diciendo
algo al público cuando él alzó el cartón. Una fría
luz resplandeció desde el dedo del hombre cuando el cartón abandonó su mano. Le temblaban
las rodillas. El hombre se acercó más, comprobando el cartón con los números escritos con tiza
en la pizarra. ¿Y si había cometido un error? La
brillantina del pelo del hombre le hizo vacilar, y
dio unos pasos atrás. Pero ahora el hombre estaba comprobando el cartón con el micrófono, y se
tenía que quedar. Se quedó quieto, tenso, escuchando.

—Debajo de la O, cuarenta y cuatro —cantó el hombre—. Debajo de la I, siete. Debajo de la G, tres. Debajo de la B, noventa y seis. ¡Debajo de la N, trece!

Respiró más a gusto cuando el hombre sonrió al público.

—Sí, señor, damas y caballeros, ¡es uno de los afortunados!

El público se agitó, riendo y aplaudiendo.

—¡Avance hasta el borde del escenario!

Avanzó lentamente, con ganas de que la luz no fuera tan brillante.

—Para ganar el premio gordo de treinta y seis dólares con noventa la rueda debe detenerse en el cero doble, ¿entendido?

Él asintió con la cabeza, pues conocía el ritual debido a los muchos días y noches que había contemplado a los ganadores que atravesaban el escenario para apretar el pulsador que controlaba la rueda que daba vueltas y recibir los premios. Y ahora él siguió las instrucciones como si cruzara el resbaladizo escenario después de haber ganado un millón de veces.

El hombre estaba haciendo algún tipo de chiste, y él asintió con la cabeza distraídamente. Se había puesto tan tenso que sintió un repentino deseo de gritar, y ponerse a dar saltos. Sentía vagamente que su vida entera dependía de la rueda del bingo; no sólo lo que iba a pasar ahora que por fin lo tenía delante, sino todo lo anterior, desde su nacimiento y el nacimiento de su madre y el nacimiento de su padre. Siempre había estado allí, aunque él no hubiera sido consciente de ello, repartiendo los cartones y números de su mala suerte de todos los días. La sensación persistía, y empezó a alejarse rápidamente. Será mejor bajar de aquí antes de que haga el ridículo, pensó.

—Venga, chico —exclamó el hombre—. Todavía no has empezado.

Alguien se rió cuando él retrocedió dubitativo.

—¿Te encuentras cómodo?

Él sonrió ante la palabra que usaba el hombre, pero no le salió ninguna palabra, y se daba cuenta de que no era una sonrisa convincente. Pues de repente se daba cuenta de que estaba inmóvil en el borde resbaladizo de un terrible desconcierto.

—¿De dónde eres, chico?

—Del Sur.

—Es del Sur, señoras y señores —dijo el hombre—. ¿Y de dónde? Habla delante del micrófono.

—De Rocky Mount —dijo él—. Rocky Mount, en Carolina del Norte.

—De modo que has decidido bajar de esas montañas para venir a Estados Unidos —dijo el hombre, riendo. Notaba que el hombre se estaba burlando de él, pero entonces le pusieron algo frío en la mano, y las luces ya no las tenía detrás.

Quieto delante de la rueda se sintió solo, pero eso no estaba mal, y recordó su plan. Haría que la rueda hiciera un giro rápido y corto. Sólo un toque al pulsador. Lo había visto muchas veces y siempre quedaba cerca del cero doble cuando era rápido y corto. Se sintió fuerte; el miedo le había abandonado, y notó una profunda sensación de esperanza, como si le fueran a recompensar por todas las cosas que había padecido en toda su vi-

da. Temblando, apretó el pulsador. Hubo un remolino de luces, y durante un segundo se dio cuenta de que aunque quisiera, no podría parar. Era
como si tuviera un cable de alta tensión en las manos. Se le tensaron los nervios. Según la rueda aumentaba de velocidad, parecía atraerle más y más
con su fuerza, como si contuviera su destino; y al
tiempo se produjo una profunda necesidad de so-
meterse, de girar, de perderse en su remolino de colores. Ahora no podía parar, lo sabía. Conque que
fuera lo que fuese.

El pulsador descansaba cómodamente en la
palma de su mano, donde lo había puesto el hombre. Y ahora se daba cuenta de que el hombre de
su lado le daba consejos por el micrófono mientras,
detrás, el público en sombra murmuraba en voz
alta. Cambió el peso de un pie al otro. Todavía tenía una sensación de desvalimiento en su interior,
haciendo que una parte de él deseara echarse atrás,
incluso ahora que tenía el premio gordo al alcance
de la mano. Apretó el pulsador hasta que le do-
lió el puño. Entonces, como el chirrido repentino
del pito del metro, una duda le atravesó la cabeza.
¿Y si no apretaba el pulsador lo suficiente? ¿Qué
podría hacer y cómo podría contarlo? Y entonces
comprendió, incluso mientras se lo preguntaba,
que mientras apretara el pulsador podría controlar
el premio gordo. Él y sólo él podría determinar si
iba a ser suyo o no. Ni siquiera el hombre del micrófono podría hacer nada ahora. Se sentía como
borracho. Entonces, como si hubiera bajado de una
alta montaña a un valle lleno de gente, oyó gritar al público.

—¡Bájate de ahí, gilipollas!

—Deja que pruebe suerte otro...

—El fulano cree que ha llegado al final del arco iris...

La última voz no era hostil, y él se dio la vuelta y sonrió como en sueños a las bocas que gritaban. Luego les dio claramente la espalda.

—No tardes demasiado, chico —dijo una voz.

Él asintió con la cabeza. Gritaban a sus espaldas. Aquella gente no entendía lo que le había pasado. Llevaban años jugando al bingo día y noche, tratando de ganar el dinero del alquiler o cambio para una hamburguesa. Pero ninguno de aquellos tipos tan listos había sentido aquella cosa tan maravillosa. Contemplaba girar la rueda; pasaba por los números y experimentó un estallido de excitación:

—¡Esto es Dios! ¡Es de verdad y auténticamente Dios! —lo dijo en voz alta—. ¡Esto es Dios!

Lo dijo con tan absoluta convicción que temió que iba a caerse en las candilejas. Pero la multitud gritaba tan fuerte que no le pudieron oír. Esos idiotas, pensó. Yo aquí intentando contarles el secreto más maravilloso del mundo, y ellos gritando como si estuvieran locos. Una mano le cayó sobre el hombro.

—Tendrás que decidirte ya, chico. Estás tardando mucho.

Él se quitó bruscamente la mano de encima.

—Déjame en paz, tío. ¡Sé lo que estoy haciendo!

El hombre pareció sorprendido y se agarró al micrófono para apoyarse. Y como él no quería herir los sentimientos del hombre, sonrió, dándose cuenta con repentina angustia de que no había modo de explicarle al hombre por qué tenía que quedarse allí apretando el pulsador para siempre.

—Venga aquí —dijo, cansinamente.

El hombre se acercó, haciendo rodar el micrófono por el escenario.

—Cualquiera puede jugar al bingo, ¿verdad? —dijo.

—Claro, pero...

Él sonrió, sintiéndose inclinado a ser paciente con este blanco de aspecto enfermizo con su camisa deportiva azul y su chillón traje de gabardina.

—Eso es lo que yo creía —dijo él—. Cualquiera puede ganar el gordo siempre que consiga el número de la suerte, ¿verdad?

—Así son las reglas, pero después de todo...

—Eso es lo que yo creía —dijo—. ¿Y el premio gordo le corresponde al hombre que lo sepa ganar?

El hombre asintió con la cabeza sin habla.

—Bien, entonces vamos a seguir con esto y fíjese cómo gano como quiero. No voy a hacer daño a nadie —dijo él—, y demostraré cómo se gana. Me refiero a que demostraré al mundo entero cómo se debe hacer.

Y como se hacía cargo, volvió a sonreír para que el hombre supiera que no tenía nada contra él por ser blanco e impaciente. Luego se negó a seguir viendo al hombre y siguió apretando el pulsador, mientras las voces de la gente le llegaban como sonidos de calles lejanas. Déjales que griten. Todos los negros de ahí abajo estaban avergonzados porque él era negro como ellos. Sonrió internamente, sabiendo lo que pasaba. La mayoría de las veces él se avergonzaba de lo que los negros le hacían. Bien, déjalos que esta vez se avergüencen por algo. Como él. Él era como un alambre largo y delgado, negro, al que estiraban y hacía girar la rueda del bingo; girarla hasta que quería gritar; girarla, pero esta vez él mismo controlaba el giro y la tristeza y la vergüenza, y porque controlaba eso, Laura se pondría bien. De pronto las luces parpadearon. Él se tambaleó al echarse hacia atrás. ¿Iba algo mal? Todo aquel ruido. ¿No sabían que aunque él controlaba la rueda, ésta también le controlaba a él, y a no ser que mantuviera apretado el pulsador para siempre y por siempre jamás la rueda se pararía, dejándole encallado, encallado sobre esta alta montaña resbaladiza y a Laura muerta? Sólo había una posibilidad; tenía que hacer todo lo que exigía la rueda. Y agarrando el pulsador con desesperación, descubrió con sorpresa que éste le proporcionaba una energía nerviosa. Un escalofrío le recorrió el espinazo. Sentía una gran fuerza.

Ahora se encaró desafiante con el público, cuyos gritos penetraban en sus tímpanos como trompetas sonando en una máquina de discos. Las vagas caras que brillaban con las luces del bingo le proporcionaban una sensación de sí mismo que nunca había sentido antes. Era él quien dirigía el espectáculo, ¡Dios santo! Tenían que reaccionar ante él, pues él era su suerte. Esto soy *yo,* pensó. Deja que esos hijoputas griten. Luego alguien se reía dentro de él, y se dio cuenta de que por alguna razón había olvidado su propio nombre. Era una sensación triste, de pérdida, quedarse sin el propio nombre, y una locura. Ese nombre se lo había dado el blanco al que pertenecía su abuelo hacía muchísimo tiempo allá en el Sur. Pero a lo mejor aquellos tipos listos sabían su nombre.

—¿Quién soy? —gritó.

—¡Date prisa y consigue bingo, gilipollas!

Tampoco ellos lo sabían, pensó tristemente. Ni siquiera sabían cómo se llamaban ellos mismos, todos eran unos hijoputas desgraciados sin nombre. Bien, él no necesitaba aquel viejo nombre; había vuelto a nacer. Mientras apretara el pulsador sería El-hombre-que-apretó-el-pulsador-que-consiguió-el-premio-que-era-el-Rey-del-Bingo. Así eran las cosas, y él tenía que apretar el pulsador aunque nadie lo entendiese, aunque ni siquiera Laura lo entendiese.

—¡Vive! —gritó.

El público se fue callando como un enorme ventilador moribundo.

—¡Vive, Laura, pequeña! ¡Ahora yo tengo sujeto esto, cariño! ¡Vive!

Gritaba, le corrían lágrimas por la cara.

—¡No tengo a nadie a no ser TÚ!

Los gritos le surgieron de las propias tripas. Notaba como si la sangre que afluía precipitadamente a su cabeza fuera a estallar en pequeñas gotitas rojas, igual que una cabeza golpeada por las porras de la policía. Al inclinarse vio un hilillo de sangre que le caía sobre la punta del zapato. Con la mano libre se tocó la cabeza. Era su nariz. Dios santo, ¿y si algo iba mal? Notó que todo el público había penetrado en su interior y estaba pateándole el estómago y él era incapaz de echarlos fuera.

Querían el premio, de eso se trataba. Querían el secreto para sí mismos. Pero nunca lo tendrían; mantendría la rueda del bingo girando para siempre, y Laura estaría a salvo en la rueda. Pero ¿lo estaría? Tenía que estarlo, porque si ella no estaba a salvo, la rueda dejaría de girar; no podría seguir. Tenía que librarse, *vomitarlo* todo, y su mente formó una imagen de sí mismo corriendo con Laura en los brazos por las vías del metro justo delante de una locomotora, corriendo desesperadamente a *vomitar* con la gente gritándole que saliera pero sabiendo que no había modo de dejar las vías porque parar haría que la locomotora le aplastara al pasar por encima de él, e intentar salir por encima de las otras vías significaba correr por un tercer raíl caliente tan alto como su cintura que soltaba chispas azules que le cegaban los ojos hasta que casi no podía ver.

Se oyó cantar, y el público le acompañaba con palmadas.

> —*¡Sírvele una copa más, Jim!*
> *Plas, plas, plas,*
> *O llama a la policía.*
> *¡Se le parte la alcancía!*
> *¡Sírvele una copa más, Jim!*

Una implacable rabia crecía en su interior mientras cantaba. Creen que estoy loco. Bueno, pues déjales que rían. Haré lo que tengo que hacer.

Estaba quieto en una actitud de intensa escucha cuando vio que estaban mirando algo del escenario, a sus espaldas. Se sintió débil. Pero cuando se dio la vuelta no vio a nadie. Si al menos el pulgar no le doliera tanto. Ahora aplaudían. Y durante un momento pensó que la rueda se había detenido. Pero eso era imposible, todavía apretaba el pulsador con el pulgar. Entonces los vio. Dos hombres en uniforme hacían señas desde el extremo del escenario. Venían hacia él, andaban al tiempo, despacio, como un grupo que bailaba claqué que volvía para un tercer bis. Pero tenían los hombros hacia delante, y él reculó, mirando enloquecidamente a su alrededor. No había nada con lo que luchar contra ellos. Sólo tenía el largo cable negro que llevaba a un enchufe del fondo del escenario, y no podía utilizarlo porque hacía funcionar la rueda del bingo. Retrocedió lentamente, clavando los ojos en los hombres y con los labios tensos sobre los dientes en una sonrisa tensa, fija; se desplazó hacia el extremo del escenario y comprendió que no podía ir mucho más allá, pues de repente el cable quedó tenso y no podía permitirse romper el cable. Pero tenía que hacer algo. El público aullaba. De pronto se detuvo en seco, viendo que los hombres se paraban, con las piernas alzadas como en un paso de danza interrumpido. No había nada que hacer más que correr en la otra dirección, y se lanzó hacia delante, dando resbalones. Los hombres se echaron hacia atrás, sorprendidos. Los golpeó violentamente al pasar.

—¡Agarradle!

Él corrió, pero enseguida se volvió a tensar el cable, oponiendo resistencia, y se dio la vuelta y volvió a correr en la dirección opuesta. Esta vez los esquivó, y se dio cuenta de que corriendo en círculo por delante de la rueda podía evitar que el cable se tensara. Pero esta vez tuvo que agitar los

brazos para apartar a los hombres. ¿Por qué no podían dejar a un hombre en paz? Corría, haciendo
círculos.

—Que bajen el telón —gritó alguien. Pero no podían hacer eso. Si lo hacían, la rueda que
parpadeaba desde la sala de proyección quedaría
interrumpida. Pero lo agarraron antes de que se lo
pudiera decir, y trataban de abrirle la mano, y él
luchaba y trataba de que sus rodillas intervinieran
en la lucha y agarraba el pulsador, porque era su
vida. Y ahora estaba en el suelo, viendo un pie que
caía, le aplastaba la muñeca con crueldad, mientras veía la rueda girando serenamente arriba.

—¡No puedo rendirme! —gritó. Luego tranquilamente, en tono confidencial—: Chicos, ¡de
verdad que no me puedo rendir!

Le alcanzó con fuerza en la cabeza. Y en el
momento en blanco, se lo quitaron, ahora por completo. Opuso resistencia a los que trataban de sacarle del escenario mientras miraba la rueda que
giraba deteniéndose poco a poco. Sin sorpresa vio
que quedaba en el cero doble.

—Ya lo veis —señaló amargamente.

—Claro, chico, está muy bien —dijo uno
de los hombres, sonriendo.

Y viendo que el hombre hacía una seña
con la cabeza a alguien que él no podía ver, se sintió feliz, muy feliz; recibiría lo que reciben todos
los ganadores.

Pero cuando confiaba en la justicia de la
sonrisa tirante del hombre, no vio el guiño, no vio
al hombre con las piernas arqueadas de detrás de
él que se apartaba del telón que caía rápidamente
y se preparaba para soltar un golpe. Sólo notó el

pesado dolor que le estallaba en el cráneo, y se dio cuenta incluso cuando éste se escapaba de él que su suerte había salido corriendo del escenario.

Tomorrow, noviembre de 1944

En el extranjero

En el pub se le había empezado a cerrar el ojo. Unos puntitos blancos bailaban ante él, y tuvo que taparse el ojo con la mano para conseguir ver a Mr. Catti. Mr. Catti ahora estaba bebiendo, y cuando el fondo del vaso bajó balanceándose y golpeó la mesa, él miró la pálida cara de nariz afilada de Mr. Catti y sonrió. Mr. Catti había sido muy amable, y él se estaba esforzando por resultar agradable.

—Uno echa de menos esto en un barco —dijo, apurando su vaso.

—¿Le gusta nuestra cerveza galesa?

—Muchísimo.

—No es tan buena como antes de la guerra —dijo Mr. Catti, apagadamente.

—Debe de haber sido muy buena —dijo él.

Miró cautelosamente a la guapa camarera de mandil azul, viendo que su pelo negro se le echaba perezosamente hacia delante cuando servía la cerveza de un grifo como él sólo había visto en las películas inglesas. Con el ojo tapado veía mucho mejor. Al otro lado del local, cerca de la chimenea con su parrilla con carbones al rojo, dos hombres estaban viendo quién podía derribar un juego de bolos en miniatura. Uno de ellos se puso a cantar *Haz como si fuera un soldado irlandés* cuando Mr. Catti dijo:

—¿Lleva usted mucho en Gales?

—Unos tres cuartos de hora —dijo él.

—Entonces tiene mucho que ver —dijo Mr. Catti, levantándose y llevando los vasos a la barra para que los rellenaran.

No, pensó él, mirando los carteles de GUINNESS IS GOOD FOR YOU, ya he visto bastante. Al bajar a tierra del barco había tenido una emocionante sensación de esperanza por llegar a un país extraño. Cuando iba por la carretera rodeado de oscuridad hizo planes de quedarse en tierra la noche entera, y por la mañana vería el país con una mirada nueva, como la de los peregrinos cuando habían visto el Nuevo Mundo. Aquello no había parecido tan estúpido entonces; no hasta que el grupo de soldados de la cuneta había parecido surgir de la oscuridad. Alguien había gritado: «Por los clavos de Cristo», y él había pensado: Es de mi país, y sonrió y se disculpó a la luz de la linterna que le dirigieron a los ojos. Había notado llegar el golpe cuando gritaron: «Es un jodido negro», pero de todos modos le alcanzó. Estaba recibiendo una buena cuando intervinieron algunos de los compatriotas de Mr. Catti y éste le había llevado al pub. Ahora, después de varias rondas de cerveza, se habían presentado, habían evitado discretamente referirse a su ojo y, mientras escuchaba con atención forzada algo de la historia nacional de Gales, se había ido adaptando a los hombres con gorras de tela y sombreros de ala estrecha que hablaban con tanta tranquilidad con las copas delante.

Al principio los había incluido en su ciego enfado. Pero le habían parecido tan auténtica y despreocupadamente educados que estaba desarmado. Ahora el enfado y el resentimiento habían disminuido lentamente, y sólo notaba una sensación latente de autodesprecio e ineficacia. ¿Por qué iba a echarles la culpa de nada cuando sólo le habían ayudado? *Él* había sido el que se sintió muy alegre por oír una voz norteamericana. Uno no puede desquitarse con ellos, son de una raza distinta; incluso de los ingleses. Es lo que te ha estado diciendo, pensó, al ver que Mr. Catti volvía, con la cabeza ladeada para evitar el humo de su pitillo, los vasos coronados de espuma sujetos entre los dedos.

—¡Es una vergüenza para nuestro país, Mr. Parker! —dijo, acaloradamente—. ¿Cómo va su ojo?

—Mejor, gracias —dijo él, resplandeciente—. Y no se preocupe, es una especie de riña familiar. ¿Hay muchos como yo en Gales?

—¡Sí, claro! Hay yanquis por todas partes. Yanquis negros y blancos.

—¿*Yanquis* negros? —quiso sonreír.

—Sí. Y muchos de ellos buenos chicos además.

Mr. Catti estaba mirando su reloj.

—¡Vaya por Dios! Lo siento, pero es la hora de mi concierto. ¿No le apetecería venir? Los chicos de mi club cantan... no profesionales, fíjese, pero algunas voces muy buenas.

—No... no, mejor no —dijo. Sin embargo sentía pasión por toda clase de música, y se había despertado su interés.

—Es un club privado —dijo Mr. Catti, tranquilizadoramente—. Sólo se admiten socios... y nuestros invitados, claro. Nos alegraría mucho que viniera. A lo mejor los chicos cantan algunos de esos espirituales suyos.

—¡Oh! Así que también conoce nuestra música, ¿eh?

—Muy bien —dijo Mr. Catti—. Y desde que los suyos están entre nosotros, hemos aprendido que, como nosotros mismos, sus compatriotas adoran la música.

—Creo que me gustaría mucho ir —dijo él, levantándose y poniéndose su chaquetón de marino—. Tendrá que llevarme usted.

—Naturalmente. No está lejos. Sólo un poco más allá de Straight Street.

Fuera, el débil resplandor de una linterna reveló el paseo de piedra. En algún punto de la húmeda oscuridad un grupo de chicas adolescentes cantaba una canción nostálgica de una comedia musical. Allá vas otra vez, pensó él. Sería mejor volver al barco, no esperar lo que salte a continuación de la oscuridad; a lo mejor el elevado de la Segunda Avenida. Y supón que alguien más trae un yanqui. ¿Por qué estropear la diversión? Coño, déjale que vaya...

Mr. Catti le precedía por una puerta en dirección a un suave murmullo de voces. A lo mejor, pensó él, oyes ese viejo «espiritual» clásico *Massa's in de... Massa's in de Old Cold Masochism!*

Cuando la luz le alcanzó el ojo herido, fue como si se lo estuviera pelando una mano invisible. No sabía si taparlo o dejarlo así para no atraer la atención. ¿Qué era lo más adecuado?

Mr. Catti estaba saludando a los hombres, que les hicieron sitio en la barra. Al mirar al otro lado del local, donde unas sillas plegables estaban cuidadosamente agrupadas en torno a hileras de mesas pequeñas, oyó a un hombre con traje azul que hacía unos brillantes arpegios en un piano vertical. Era un local alegre.

—Dos whiskys, Alf —dijo Mr. Catti al hombre de detrás de la barra.

—¡Enseguida! Y buenas noches, pareja —dijo el hombre.

—Se llama Mr. Parker, Alf —dijo Mr. Catti, presentándole—. Mr. Parker, Mr. Triffit, el encargado de nuestro club.

—¿Cómo está usted? —dijo él, estrechando la mano de Mr. Triffit.

—Bienvenido a nuestro club, señor —dijo Mr. Triffit—. Es usted norteamericano, supongo.

—Sí —dijo él. Y con tono audazmente divertido, añadió—: Un yanqui negro.

—Pensé que a Mr. Parker le gustaría el concierto, Alf. Así que lo traje.

—Nos encanta que haya venido, señor —dijo Mr. Triffit—. Creo que le gustará, Mr. Parker. Como yo digo, nuestros chicos son... son... sí, me atrevo a decirlo, coño, ¡son lo mejor que hay!

—Estoy seguro de que lo son, señor —dijo él, pensando: Se comporta como si se lo discutieran.

—Aquí todo es lo mejor —dijo Mr. Catti.

—A su salud, señor —dijo Mr. Triffit.

—Por Gales —dijo Mr. Parker—, y a la salud de ustedes dos.

—Y por Norteamérica, Dios la bendiga —dijo Mr. Triffit.

—Sí —dijo Mr. Parker—, y por Norteamérica.

Notaba que Mr. Triffit iba a mencionar su ojo, y le alegró que Mr. Catti se estuviera apartando.

—Venga, Mr. Parker. Vamos a elegir asiento.

Se sentaron en la parte delantera, donde los cantantes se estaban agrupando para empezar. El calor del alcohol ahora se estaba difundiendo lentamente por su interior, y con una sensación creciente de lejanía oyó la primera pieza anunciada, una canción galesa interpretada a capella. Los tranquilos acordes de afinación sonaron muy lejanos. Vio que los hombres se instalaban y que el director alzaba la mano, luego, al tiempo, la rápida y audible toma de aliento y el ataque preciso.

Las voces bien armonizadas le cogieron desprevenido. Escuchó la cálida riqueza de la música con agradable sorpresa, y oyó, por debajo de las extrañas palabras galesas, ecos de una sencilla canción, como las canciones folclóricas rusas.

—Es maravilloso —susurró, viendo que Mr. Catti sonreía apreciativamente.

Miró a su alrededor. Vio los rostros de los que escuchaban prendidos por un hechizo comunicativo mientras daban sorbos a sus copas o fumaban sus pipas o cigarrillos. Poco a poco la sala se llenaba de amistosos remolinos de humo. Ahora estaban cantando otra de sus canciones, y aunque no podía entender la letra se abandonó a la atracción de su red de significados. Luego la conocida y odiosa emoción del alejamiento le hizo un nudo en la garganta.

—¿Era una canción sobre Gales? —preguntó, con el ojo menos dolorido.

—¡Exacto! —exclamó Mr. Catti—. Y la otra era sobre una batalla en la que derrotamos a los ingleses. Nada como la música revela lo que hay en el corazón. No se necesita la letra, la verdad.

Un cálido rubor tiñó la cara de Mr. Catti. Le gustó que yo entendiera, pensó él. Y cuando los hombres cantaban en un tono calmado, notó una creciente pobreza de espíritu. Debería haber sabido más de los galeses, de su historia y arte. Si nosotros hubiéramos tenido algo de lo que tienen ellos, pensó. Son una nación mucho más pequeña que la nuestra, y sin embargo no puedo recordar ninguna canción nuestra que sea de amor por la tierra o el país. Ni ninguna canción de batalla aparte de las de la época bíblica. Y con el ojo de la mente vio a un campesino ruso arrodillándose para besar la tierra y alzando unos ojos húmedos para entrar en la batalla con gritos de feroz entusiasmo. Y ahora sentía, entre estos hombres, al oír sus voces, una oleada de profunda añoranza por conocer la angustia y el entusiasmo de un amor así.

—¿Ve aquel tipo de la cara roja de allí? —preguntó Mr. Catti.

—Sí.

—El dueño principal de nuestras minas.

—¿Y qué son los otros?

—De todo. El tenor del final es minero. Mr. Jones, el del centro, es carnicero. Y el moreno junto a él es un funcionario del sindicato.

—Uno nunca lo creería a causa de lo conjuntados que están —dijo él, sonriendo.

—Cuando cantamos, somos galeses —dijo Mr Catti, mientras empezaba la siguiente pieza.

Parker sonrió, súbitamente consciente de una expansividad que anteriormente él sólo había conocido en las *jam sessions* con mezcla de razas. Cuando hacemos *jam,* señor, ¡somos jamócratas! Le gustaban estos galeses. Ni siquiera a bordo, donde el peligro compartido y una unión en la lucha creaban cierto grado de entendimiento, se había sentido tan cerca de los blancos.

Pues aquélla es una unidad económica, se dijo para sí mismo. Y ésta es una unión musical, un «idioma entrañable», «el alimento del amor». Venga, tonto. Detrás de ese ojo ennegrecido puedes dejar eso a un lado. No te reprimas. *Muy bien, no lo haré: Querida Gales, te saludo. Beso los labios de tu orgulloso espíritu gracias a los agradables sonidos de tus canciones. ¿Qué tal eso?* Bien. Ligeramente confuso en las metáforas, pero no tan malo. Prosigue un poco más, Otelo. *¿Otelo? Así es, y qué raro. Pero. Bueno: Oh mi hermosa nación guerrera, porque gracias a ti en un breve momento vuelve a desaparecer mi caos...* ¿Vuelve? Parker, atente a los hechos. Y recuerda lo que le hicieron a Otelo. *No, se lo hizo él a sí mismo. No consiguió confiar en su mujer, ni en sí mismo.* Lo sé, y eso hace de Yago uno de la Quinta Columna. Pero ¿en qué crees de verdad *tú? Cállate... ¡Yo creo en la música!* ¡Ya es algo! *Y en lo que está pasando aquí esta noche. Yo creo... quiero creer en estas personas.* Se estaba desmandando algo. Y él se puso en guardia. En su país podría ahogar su humanidad en un mar de cinismo oculto, y los blancos nunca lo percibirían. Pero estos hombres podrían entender. Tal vez, sintió con vago terror, toda la tarde hubiera estado al descubierto, cegado por la luz brillante de la humanidad más profunda de ellos, y ellos habían visto cómo era él y lo que había sido. Estaba sobrio. Y al escuchar

ahora, pensó: Vives en el barco, recuerda. Straight
Street abajo, en la oscuridad. Y en tu país vives en
Harlem. Evita que su alcohol te tumbe, e incluso su
hospitalidad. Presta algún servicio a Estados Unidos,
Parker. Ellos no lo pueden saber. Y si estos hom-
bres se dieran cuenta, no importa. Apaga esa luz,
Otelo... ¿o es que te gusta que te alcance una?

—¿Cómo va su ojo? —preguntó Mr. Catti.

—Casi cerrado por completo.

—¡Es una maldita vergüenza!

—Sin embargo ha sido una tarde maravillosa —dijo él—. Una de las mejores que he pasado nunca.

—Me alegra que haya venido —dijo Mr.
Catti—. Y lo mismo los chicos. Pueden notar que
le ha gustado a usted su música, y eso les com-
place.

—Por los que cantan —brindó.

—Por las canciones —dijo Mr. Catti.

—A propósito, deje que le preste mi linterna para que pueda volver. Vaya hasta la librería
del Heath. Cualquiera le indicará el camino.

—Pero la necesitará usted.

Mr. Catti puso la linterna encima de la mesa.

—No se preocupe —dijo—. Estoy en terreno conocido. Conozco la ciudad como la palma de mi mano.

—Gracias —dijo él, sintiéndolo—. Es usted muy amable.

Cuando tocaron los primeros acordes, vio
que los demás echaban atrás sus sillas y se levantaban, y él se puso de pie, comprendiendo en cuanto Mr. Catti susurró:

—Nuestro himno nacional.

Había algo en la música y en el modo en que mantenían erguida la cabeza que resultaba extrañamente conmovedor. Tarareó para sí mismo. Cuando terminara preguntaría la letra.

Pero cuando todavía oía que estaba sonando el triunfal acorde final, el piano atacó *Dios salve al Rey.* Aquello no fue ni con mucho tan emocionante. Luego rápidamente modulado, recorrieron *La Internacional,* con una letra sobre un ejército internacional. Fue transportado a cuando era niño y desfilaba por la calle detrás de las bandas que venían a su pueblo del Sur...

Mr. Catti le había dado un codazo. Él alzó la vista, y vio que el director le miraba directamente, sonriendo. Todos le miraban. ¿Por qué? ¿Era por su ojo? ¿Se trataba de una broma? Y de pronto reconoció la melodía y notó que se le doblaban las rodillas. Era como si le hubieran empujado al horrible país de los sueños que presentía y le estuvieran tentando a realizar un acto involuntario y degradante, del que sólo le podría salvar su incapacidad para recordar la letra. Todo era irreal, pero parecía que ya había pasado antes. Sólo que ahora la melodía parecía cargada de un enorme significado nuevo que la parte suya que quería cantar no conseguía que se adaptase a la antigua letra tan conocida. Y más allá de la música seguía oyendo las voces de soldados, que gritaban como cuando la luz le había alcanzado el ojo. Vio que los cantantes todavía miraban, y como para traicionarle oyó cantar a su propia voz como una radio con el volumen repentinamente más alto:

... Dio prueba en la noche
De que nuestra bandera todavía estaba allí...

Era como la voz de otro, sobre el cual él no tenía control. El ojo le latía. Le recorrió una oleada de culpabilidad, seguida por un estallido de alivio. Por primera vez en toda su vida, pensó con un asombro como de sueño, la letra no era irónica. Se sentía muy confuso cuando terminó la canción, y miraba las caras de los galeses, sin saber si insultarlos o devolver sus amables sonrisas. Entonces el director estaba ante él, y Mr. Catti decía:

—No canta usted nada mal, Mr. Parker. ¿No lo cree así, Mr. Morcan?

—Si se queda en Gales, no descansaré hasta que forme parte usted del club —dijo Mr. Morcan—. ¿Qué le parece eso, Mr. Parker?

Pero Mr. Parker no podía contestar. Agarraba la linterna de Mr. Catti como si fuera un palo y esperaba que su ojo a la funerala consiguiera contener las lágrimas.

Tomorrow, julio de 1944

Vuelo a casa

Cuando Todd volvió en sí, vio dos caras suspendidas encima de él bajo un sol tan ardiente y cegador que no podría decir si eran negras o blancas. Se movió, sintiendo un dolor que quemó como si todo su cuerpo hubiera estado tumbado expuesto al sol, que le deslumbraba. Durante un momento un antiguo miedo a que le tocaran unas manos blancas se apoderó de él. Luego la misma intensidad del dolor empezó a despejarle lentamente la cabeza. Unos sonidos le llegaron indistintamente. *Ha vuelto en sí*. ¿Quiénes eran?, pensó. *No, no lo es, podría jurar que era blanco*. Luego oyó claramente:

—¿Se ha hecho mucho daño?

Algo se desenroscó dentro de él. Era una voz de negro.

—Todavía está ido —oyó.

—Dale tiempo... Oye, hijo, ¿te has hecho mucho daño?

¿Era él? Estaba aquel espantoso dolor. Está tumbado, rígido, oyendo la respiración de los otros y tratando de establecer un sentido entre ellos y él, que estaba dolorosamente estirado en el suelo. Les observó cautelosamente, con la mente regresando de una dolorosa distancia. Escenas entrecortadas, desplegándose rápidamente como en el trailer de una película, se devanaban en su mente, y se

vio pilotando un avión en barrena, tomando tierra, saliendo despedido de la cabina y tratando de
ponerse en pie. Luego, como en un gran silencio,
recordó el sonido de un hueso que cruje y, ahora,
al mirar las caras ansiosas de arriba de un viejo
negro y un chico desde donde estaba tumbado en
el mismo campo, el recuerdo le mareó y no quiso
recordar más.

—¿Cómo te encuentras, hijo?

Todd dudó, como si responder fuese admitir una debilidad inaceptable. Luego:

—Es el tobillo —dijo.

—¿Cuál de ellos?

—El izquierdo.

Con una sensación de lejanía vio al viejo
que se doblaba y le quitaba la bota, notando que
cedía la presión.

—¿Algo mejor?

—Mucho. Gracias.

Tenía la sensación de estar discutiendo con
otro, de que su preocupación era por algo mucho
más importante, que por algún motivo se le escapaba.

—Se lo ha roto de mala manera —dijo el
viejo—. Tenemos que llevarle a un médico.

Notaba que había entrado en barrena. Mi-
ró su reloj; ¿cuánto llevaba aquí? Sabía que sólo había una cosa importante en el mundo, devolver el
avión al campo antes de que sus jefes se disgus-
taran.

—Ayúdeme a levantarme —dijo—. A meterme en el aparato.

—Pero está destrozado...

—¡Deme el brazo!

—Pero, hijo...

Agarrándose al brazo del viejo, consiguió levantarse, manteniendo la pierna izquierda libre, pensando: Nunca conseguiré que entienda, mientras la cara tersa como el cuero se puso en paralelo con la suya.

—Ahora veremos.

Apartó al viejo, oyendo el insistente sonido estridente de un pájaro. Dio bandazos, mareado. La negrura cayó sobre él, como el infinito.

—Será mejor que se siente.

—No, estoy perfectamente.

—Pero, hijo. Se va a poner peor...

Era evidente que en él todo gritaba negándolo, incluso se oponía al maldito dolor del tobillo. Tendría que volverlo a intentar.

—Si no tiene cuidado con ese tobillo se lo tendrán que cortar —oyó.

Conteniendo la respiración, se puso en marcha de nuevo. Le dolía tanto que se tuvo que morder los labios para no gritar y les dejó que le ayudaran a dejarse caer con una punzada de desesperación.

—Será mejor que se lo tome con calma. Vamos a buscar un médico.

Maldita suerte. Maldita jodida suerte, ahora me hago esto. Los vapores de gasolina de muchos octanos se aferraban al calor, burlándose de él.

—Podíamos llevarlo al pueblo en el viejo *Ned* —dijo el chico.

¿Ned? Se volvió, viendo al chico que señalaba a una yunta de bueyes, que ramoneaba donde la reja enterrada de un arado señalaba el final de surco. La idea de él mismo montado en un buey que

atraviesa el pueblo, pasa por calles llenas de caras blancas, hasta el cemento de las pistas de despegue del campo de aviación, creó intensas imágenes de humillación en su mente. Con angustia recordó la última carta de su chica. «Todd —le había escrito—, no necesito periódicos que me digan que eres lo bastante inteligente para volar. Y siempre he sabido que tú eras valiente como el que más. Los periódicos me aburren. No te empeñes en demostrar una y otra vez que eres valiente o hábil sólo porque eres negro, Todd. Creo que no se apean del burro porque no quieren decir por qué vosotros no estáis todavía luchando. Estoy decepcionada de verdad, Todd. Cualquiera con dos dedos de frente puede aprender a volar, y luego qué. ¿Qué pasa al usar la inteligencia, y para qué se usa? Me gusta que escribas sobre esto, querido mío. A veces creo que nos están engañando. Es muy humillante...». Se secó el sudor frío de la cara, pensando: ¿Qué sabe ella lo que es humillación? Ella nunca ha estado en el Sur. *Ahora* vendría la humillación. Cuando debes hacer que te juzguen, sabiendo que nunca aceptan tus errores como tuyos, sino que los utilizan contra toda tu raza; eso era humillación. Sí, y humillación era cuando uno nunca podía ser sencillamente él mismo; cuando uno siempre era igual que este viejo negro ignorante. Claro, el tipo era un hombre como es debido. Agradable, amable y servicial. Pero él no es tú. Bien, pues hay una humillación que me puedo evitar.

—No —dijo—. Tengo órdenes de no dejar el avión...

—Ah —dijo el viejo. Luego volviéndose al chico—: Teddy, entonces será mejor que te des prisa en busca de Mister Graves y consigas que venga...

—¡No, espera! —protestó él, antes de ser plenamente consciente. Graves podría ser blanco—. Hágale que vaya simplemente a decírselo a los del campo, por favor. Ellos se ocuparán de lo demás.

Vio alejarse al chico. Corría.

—¿Tiene que ir muy lejos?

—Menos de un par de kilómetros.

Se tumbó de espaldas, mirando la polvorienta esfera de su reloj. Ya sabrían que le había pasado algo, pensó. En el avión había una radio de las mejores, pero era inútil. El viejo nunca conseguiría que funcionase. Aquel buitre me mandó cientos de años atrás, pensó. La ironía bailaba en su interior como los mosquitos que hacían círculos en torno a la cabeza del viejo. Con todo lo que he aprendido, y dependo del sentido del tiempo y el espacio de este «aldeano». La pierna le latía. En el avión, en lugar de medir el tiempo con el ritmo del dolor y las piernas de un chico, los instrumentos se lo habrían dicho de una ojeada. Retorciéndose sobre sus codos, vio dónde el polvo había manchado el fuselaje del avión, notando formarse el nudo en la garganta que siempre estaba allí cuando pensaba en volar. Estaba allí acurrucado, pensó, como la cáscara abandonada de una langosta. Estoy desnudo sin él. Ni un aparato, la ropa que llevas puesta. Y con súbita vergüenza y asombro susurró:

—Es la única dignidad que tengo...

Vio que el viejo miraba, con su mono desgarrado colgando fláccidamente en pleno calor. Sintió una intensa necesidad de decirle al viejo lo que sentía. Pero no tendría sentido. Si intentara explicar por qué necesito volver volando, pensará simplemente que les tengo miedo a los oficiales blancos. Pero es más que miedo... una sensación de angustia se agarró a él como la capa de sudor que se aferraba a su cara. Miró al viejo, oyéndole tararear fragmentos de una canción mientras admiraba el avión. Tuvo una sensación furtiva de resentimiento. Viejos así muchas veces venían al campo a mirar a los pilotos con ojos de niño. Al principio eso le había enorgullecido; habían sido una parte significativa de una experiencia nueva. Pero pronto comprendió que ellos no entendían lo que él había conseguido y venían a avergonzarle y molestarle; como el desagradable halago de un idiota. Una parte del significado de volar había desaparecido, entonces, y no había sido capaz de recuperarlo. Si yo fuera boxeador profesional habría sido más humano, pensó. No un mono que hace gracias, sino un hombre. A ellos simplemente les encantaba que él fuera un negro que volaba, y eso no era suficiente. Se notó separado de ellos por la edad, por entendimiento, por sensibilidad, por la tecnología, y por su necesidad de medirse a sí mismo en el espejo del aprecio de otros hombres. En cierto modo se sentía traicionado, como le pasó de niño cuando descubrió que su padre había muerto. Ahora, para él, cualquier aprecio auténtico residía en sus oficiales blancos; y con ellos nunca estaba seguro. Entre negros ignorantes y blancos condescendientes, su curso de vuelo pareció señalado por la naturaleza de cosas lejos de todo lo que necesitaba y de las señales naturales. Bajo órdenes selladas, redactadas en términos cada vez más técnicos y misteriosos, su camino se apartó rápidamente tanto de la vergüenza simbolizada por el viejo como del nebuloso terreno de la estima del blanco. Volaba a ciegas, sólo sabía un punto de aterrizaje y allí recibiría sus alas. Después de eso el enemigo apreciaría su destreza y él asumiría su significado profundo, pensó tristemente, no los que condescendían ni los que alababan sin entender, sino el enemigo que reconocería su hombría y destreza en términos de odio...

Lanzó un suspiro, al ver que el buey formaba sombras extrañas, prehistóricas, en la seca tierra marrón.

—Tómatelo con calma, hijo —le tranquilizó el viejo—. Ese chico no tardará. Le enloquecen los aviones.

—No puedo esperar —dijo él.

—¿Qué tipo de avión es ese de ahí?

—Uno de entrenamiento avanzado —dijo él, viendo sonreír al viejo. Sus dedos en el metal eran como de madera oscura con nudos cuando tocó el ala.

—¿A qué velocidad puede volar?

—Unos doscientos por hora.

—¡Señor! ¡Eso es tan deprisa que apuesto lo que sea a que a uno no le parece que se mueva!

Manteniéndose rígido, Todd abrió su mono de vuelo. La sombra se había ido y estaba tumbado en una bola de fuego.

—¿Te importa si echo una mirada dentro? Siempre tuve curiosidad por ver...

—Haga lo que quiera. Pero no toque nada.

Le oyó subir al ala metálica, gruñendo. Ahora empezarían las preguntas. Bueno, así no tendrás que pensar la respuesta...

Vio que el viejo miraba dentro de la carlinga, con los ojos brillantes como los de un niño.

—Debes de tener que saber mucho para hacer funcionar todas estas cosas.

Todd estaba callado, viéndole bajarse y arrodillarse a su lado.

—Hijo, ¿cómo llegaste a querer volar por el aire?

Porque es el acto con más significado del mundo... porque me hace menos igual a ti, pensó. Pero dijo:

—Porque me gusta, supongo. Es un modo tan bueno de luchar y morir como los que conozco.

—¿Sí? Supongo que tienes razón —dijo el viejo—. Pero ¿cuánto tuvo que pasar antes de que te dejaran volar?

Se puso tenso. Aquélla era una pregunta que hacían todos los negros, planteada con la misma esperanza y añoranza tímidas que siempre abrían un vacío mayor en su interior que el que había sentido debajo del avión la primera vez que había volado. Se notaba mareado. De repente se le ocurrió que había algo siniestro en la conversación, que estaba volando involuntariamente a regiones poco seguras y que no aparecían en los planos. ¡Si al menos pudiera insultar y decirle a aquel viejo que trataba de ayudarle que cerrara la boca!

—Te apuesto una cosa...

—¿Sí?

—Que tenías mucho miedo de caer.

No contestó. Como un perro que sigue una pista, el viejo parecía oler sus miedos, y notó una burbuja de enfado dentro de él.

—Tú sí que *me* asustaste. Cuando te vi bajar aquí en esa cosa que daba vueltas y sacudidas como un caballo lanzado, ¡casi me da un ataque al corazón!

Vio sonreír al viejo.

—Todo lo que ha pasado aquí esta mañana me hace pensar en ello.

—¿El qué? —preguntó él.

—Bueno, lo primero de todo, vinieron aquí dos blancos buscando a Mister Rudolph, ese primo de Mister Graves. Eso me sacó de mis casillas inmediatamente...

—¿Por qué?

—¿Por qué? Porque se escapó de esa casa de locos, por eso. Es capaz de matar a alguien —dijo—. Sin embargo ahora ya lo deben de haber atrapado. Luego llegas *tú*. Primero pienso que es uno de esos blancos. Luego, maldita sea si no caes aquí. Señor, había oído hablar de vosotros pero nunca había *visto* a ninguno. ¡No puedo decirte lo que sentí al ver a alguien que se parece a mí en un avión!

El viejo siguió hablando, el sonido se enroscaba en torno a los pensamientos de Todd como el aire que pasa por el fuselaje de un avión en vuelo. Eres un idiota, pensó, recordando cómo antes de capotar había resplandecido el sol, brillado en los carteles de anuncio de más allá de la ciudad, y cómo la cometa azul de un niño había surgido debajo de él, dando suaves tirones en el viento como una extraña flor de forma rara. Una vez él había volado cometas iguales y trató de encontrar al chico al final de la cuerda invisible. Pero había estado volando demasiado alto y demasiado rápido. Había ascendido en vertical muy contento. Demasiado en vertical, pensó. Y una de las primeras reglas que se aprenden es que si el ángulo de empuje es demasiado empinado el avión entra en barrena. Y entonces, en lugar de evitar eso y descender en picado dejas que un buitre te produzca pánico. ¡Un mierdoso buitre!

—Hijo, ¿qué hizo toda esa sangre en el cristal?

—Un buitre —dijo él, recordando cómo la sangre y las plumas se habían desparramado contra el parabrisas. Había sido como si se hubiera hundido en una tormenta de sangre y negrura.

—Bueno, ¡pues lo aseguro yo! Por aquí hay montones. Andan tras cosas muertas. No comen nada que esté vivo.

—Un poco más y me hubiera hecho picadillo —dijo Todd, torvamente.

—Has tenido suerte, de acuerdo. Teddy tiene un nombre para ellos, los llama buitres comenegros —dijo el viejo, riendo.

—Es un nombre bueno.

—Son los pájaros peores. Una vez vi un caballo todo estirado como si estuviera enfermo, ya sabes. Conque grité. «¡Largo de aquí, fuera!» Sólo para que se marcharan. Y, maldita sea, hijo, ¡si no veo a dos viejos buitres comenegros salir volando de las entrañas del caballo! ¡Dios del cielo! ¡El sol brillaba sobre ellos y no estarían más grasientos si hubieran estado comiendo una barbacoa!

Todd creyó que iba a vomitar; el estómago se le revolvió.

—¡Se lo inventó usted! —dijo.

—¡Nanai! Lo vi lo mismo que te veo a ti.

—Bueno, pues me alegro de que fuera usted.

—Uno ve muchísimas cosas raras aquí, hijo.

—No, véalas usted —dijo.

—A propósito, a los blancos de por aquí no les gusta ver a los chicos que voláis por el cielo. ¿No te han molestado nunca?

—No.

—Bueno, pues les gustaría.

—Siempre hay alguien que quiere molestar a otro —dijo Todd—. ¿Cómo lo sabe?

—Lo sé, es todo.

—Bien —dijo él, a la defensiva—, no nos ha molestado nadie.

La sangre le latió en las orejas cuando alzó la vista hacia el espacio. Se puso tenso al ver un punto negro en el cielo y se esforzó para confirmar lo que no conseguía ver con claridad.

—¿Qué le parece que es eso? —preguntó, nervioso.

—Sólo otro pájaro de mal agüero, hijo.

Entonces vio el movimiento de alas con desagrado. Planeaba suavemente, con las alas extendidas, las plumas de la cola sujetándose al aire, bajaba rápidamente... desapareció detrás de la pantalla verde de árboles. Era como un pájaro que él hubiera imaginado allí; sólo permanecían las ramas inclinadas de los pinos, afiladas ante la pálida extensión del cielo. Estaba tumbado respirando apenas y clavaba la vista en el punto donde había desaparecido, atrapado por un embrujo de repugnancia y admiración. ¿Por qué resultaban tan desagradables y sin embargo enseñaban a volar tan bien? *Es como cuando yo estaba ahí arriba en el cielo,* oyó, sobresaltado.

El viejo se reía entre dientes, frotándose la barbilla mal afeitada.

—¿Qué dijo usted?

—Claro, yo morí y fui al cielo... a lo mejor para cuando te lo cuente ya han venido a por ti.

—Eso espero —dijo él, cansinamente.

—¿Vosotros nunca os sentáis y os contáis mentiras?

—No muchas veces. ¿Va a ser ésta una?

—Verás, no muy grande, porque tuvo lugar cuando estaba muerto.

El viejo se interrumpió.

—Eso de los buitres no era una mentira, sin embargo.

—De acuerdo —dijo él.

—¿Entonces quieres que te hable del cielo?

—Por favor —respondió, apoyando la cabeza en el brazo.

—Verás, yo fui al cielo y rápidamente empezaron a salirme unas alas. Unas de dos metros, así eran. Justo como las que tienen los ángeles blancos. Casi no me lo podía creer. Me puse tan contento que me perdí entre las nubes y traté de esconderme. Ya sabes, no quería hacer el ridículo, eso en primer lugar...

Es un viejo cuento, pensó Todd. Me lo contaron hace años. Lo había olvidado. Pero por lo menos evitará que me hable de los buitres.

Cerró los ojos, escuchando.

—... En primer lugar lo que hice fue subirme encima de una nube baja y saltar. Y caray, chico, ¡si las alas no volaban! Primero probé con la derecha; luego probé con la izquierda; luego probé con las dos juntas. Entonces, Dios santo, empecé a moverme por entre la gente. Para que me vieran...

Vio que el viejo imitaba el vuelo con los brazos; su cara llena de un orgullo burlón mientras contemplaba a una imaginaria multitud, pensando: *Esto saldrá en los periódicos,* cuando oyó:

—... conque fui y encontré unos ángeles de color... en cierto modo no me creía que yo fuera un ángel hasta que vi un ángel negro de verdad, ¡sí, señor! Entonces yo estaba... pero me dijeron que mejor bajaba porque nosotros, los de color, tenemos que llevar un arnés especial cuando volamos. Eso era por lo que *ellos* no volaban. Sí, sí, y tienes que tener una fuerza especial para que un negro pueda volar con uno de esos arneses...

Aquello era nuevo, pensó Todd. ¿Adónde quería ir el viejo?

—Conque me dije, ¡a mí nunca me pondrán un arnés! ¡Nada de eso! Porque si Dios deja que te salgan alas tienes que tener el sentido suficiente para no dejar que nadie te haga llevar algo para que puedas volar. Conque empecé a volar. Oye, hijo —dijo, entre dientes, los ojos muy brillantes—, ya sabes que tenía que hacer que todos supieran que el viejo Jefferson podía volar tan bien como cualquiera. Y yo también podía, ¡volar igual que un pájaro! ¡Incluso podría rizar el rizo!... sólo tenía que hacer esfuerzos para que mi larga túnica blanca no se me subiese de las pantorrillas...

Todd se sintió incómodo. Quiso reír el chiste, pero su cuerpo se negó, como con una voluntad independiente. Se sentía como se sintió de niño cuando después de masticar la pastilla envuelta en azúcar que le había dado su madre, ella se rió ante sus tremendos esfuerzos por suprimir el espantoso sabor.

—... Bien —oyó—. Yo lo estaba haciendo todo bien hasta que adquirí velocidad. Descubrí que podía levantar una fuerte brisa, que yo podía volar muy deprisa. Podía hacer todo tipo de acrobacias, encima. Empecé a volar hacia las estrellas y bajé en picado y pasé zumbando alrededor de la luna. Tío, me gusta meterles miedo a algunos viejos ángeles blancos. Estaba montando un lío del demonio. No es que yo pretendiera hacer daño, hijo. Pero me sentía muy bien. Era muy agradable saber que por fin era libre. Rocé casualmente con las puntas en unas estrellas y me dijeron que yo había provocado una tormenta y un par de linchamientos aquí abajo, en Macon County... aunque juro que creo que los que dijeron eso estaban contando mentiras sobre mí...

Se está burlando de mí, pensó Todd, enfadado. Cree que esto es una broma. Se está riendo de mí... Tenía el gaznate seco. Miró su reloj, ¿por qué coño no venían? Tenían que venir ya. ¿Por qué no lo hacían? *Un día yo estaba volando por una de esas calles del cielo.* Tú mismo te metiste, pensó Todd. Como Jonás en la ballena.

—Tiraba plumas a la cara de todos. Y el viejo san Pedro me llamó. Dijo: «Jefferson, oye un par de cosas. ¿Qué andas haciendo volando sin arnés?; ¿y cómo es que vuelas tan rápido?». Conque le dije que volaba sin arnés porque me había pasado eso, pero que no podía estar volando muy rápido porque sólo estaba usando un ala. San Pedro dijo: «¿No estabas volando sólo con *un* ala?». «Sí, señor», digo yo, como asustado. Conque él dice: «Bien, como tienes un par de alas tan delicadas puedes volar un rato sin arnés. Pero de ahora en adelante nada de eso de volar sólo con un ala, porque estabas adquiriendo demasiada velocidad».

Y con una boca llena de dientes cariados, estás hablando demasiado, pensó Todd. ¿Por qué no le mandé en busca del chico? El cuerpo le dolía por culpa de lo duro que estaba el suelo, y buscando variar de posición se retorció el tobillo y se cabreó consigo mismo por soltar un grito.

—¿Va peor eso?

—Me lo retorcí —gruñó él.

—Trata de no pensar en ello, hijo. Es lo que hago yo.

Se mordía el labio, combatiendo el dolor con otro dolor, cuando la voz reanudó su zumbido rítmico. Jefferson parecía atrapado en su misma invención.

—... Después de tanto problema me limité a volar por el cielo a cámara lenta. Pero olvidé lo que tienen que hacer los de color y volví a volar con sólo un ala. Esta vez yo estaba dejando descansar mi viejo brazo roto y me puse a volar más deprisa que el demonio. Iba tan deprisa, Dios santo, que me volvió a llamar el viejo san Pedro. Dijo: «Jeff, ¿no te advertí que no tan rápido?». «Sí, señor», digo yo: «Fue un accidente». Él me miró como con tristeza y negó con la cabeza y comprendí que para mí se había acabado. Dijo: «Jeff, tú y esa velocidad sois un peligro para los que viven en el cielo. Si te dejara seguir volando así, en el cielo no habría más que protestas. Jeff, ¡te tienes que ir!». Hijo, discutí y supliqué al viejo blanco, pero eso no sirvió de nada. Me echaron inmediatamente por aquellas puertas nacaradas y me dieron un paracaídas y un mapa del Estado de Alabama...

Todd oyó que se reía tanto que apenas conseguía hablar, originando una pantalla entre ellos encima de la cual su humillación brillaba como una hoguera.

—Puede que sea mejor que lo dejes un poco —dijo, con una voz irreal.

—No hay mucho más —dijo Jefferson, sin dejar de reír—. Cuando me dieron el paracaídas el viejo san Pedro me pregunta si quería decir unas palabras antes de irme. Yo me encontraba tan mal que apenas le podía mirar, en especial con todos aquellos ángeles blancos a su alrededor. Entonces se rió alguien y yo me enfadé mucho. Conque le dije: «Vale, me has quitado las alas. Y me has echado. Estás al cargo de las cosas, así que yo no puedo hacer nada al respecto. Pero al menos tienes que admitir esto: Mientras anduve por aquí arriba, ¡fui el mayor hijoputa volador que haya estado nunca en el cielo!».

Ante el estallido de risas, Todd sintió una humillación tan intensa que sólo una gran violencia podría eliminarla. La risa que hacía retorcerse al viejo como un purgante en ebullición originó vibraciones de culpabilidad en su interior que ni siquiera los complejos mecanismos del avión habrían sido capaces de transformar y se oyó diciendo:

—¿Por qué se ríe de mí de este modo?

Se enfadó consigo mismo en ese mismo momento, pero había perdido el control. Vio que la boca de Jefferson se abría.

—¿Cómo?...

—¡Contésteme!

La sangre le golpeaba como si fueran a reventarle las sienes, y trató de alcanzar al viejo, y cayó, gritando:

—¿Qué puedo hacer porque no nos dejen volar de verdad? A lo mejor somos un hatajo de buitres que se hartan con un caballo muerto, pero podemos tener la esperanza de ser águilas, ¿o no podemos? *¿No podemos?*

Cayó hacia atrás, exhausto. El tobillo le mataba de dolor. Dentro de su boca la saliva era como paja. Si tuviera fuerza estrangularía al viejo. Aquel payaso sonriente de pelo gris le hacía sentir lo que sentía cuando le miraban los oficiales blancos del campo. Y sin embargo aquel viejo no tenía ni poder, ni prestigio, ni rango, ni técnica. Nada que pudiera librarle de aquella terrible sensación. Lo observó, viendo que su cara luchaba por expresar un alboroto de sentimientos.

—¿Qué quieres decir, hijo? ¿De qué estás hablando?...

—Váyase. Vaya a contarles esos cuentos a los blancos.

—Pero yo no pretendía nada así... yo... yo no trataba de ofenderte.

—Haga el favor. ¡Déjeme en paz con esas mandangas!

—Pero, si yo no... hijo. Yo no pretendía eso, nada de nada.

Todd se estremeció como con un escalofrío, buscando en la cara de Jefferson algún rastro de la burla que había visto en ella. Pero ahora la cara resultaba sombría, cansada y vieja. Estaba confuso. No podía estar seguro de que en ella hubiera habido nunca risas, de que Jefferson se hubiera reído alguna vez de verdad en toda su vida. Vio a Jefferson estirarse para tocarle y se encogió, preguntándose si era real algo, aparte del dolor que ahora hacía vacilar su visión. Puede que lo hubiera imaginado todo.

—No te vengas abajo, hijo —dijo la voz, meditabunda.

Oyó suspirar cansinamente a Jefferson, como si sintiera más de lo que podía expresar. Su enfado disminuyó, dejando sólo el dolor.

—Perdone —murmuró.

—Sólo te ha vencido el dolor, eso era todo...

Lo veía borrosamente; sonreía. Y durante un segundo notó el embarazoso silencio del entendimiento ondular entre ellos.

—¿Qué estabas haciendo al volar sobre esta zona, hijo? ¿No te daba miedo que pudieran dispararte creyendo que eras un cuervo?

Todd se puso tenso. ¿Se estaba riendo otra vez de él? Pero antes de que pudiera decidirlo, el dolor le sacudió y una parte suya estaba tumbada tranquilamente detrás de la pantalla de dolor que había caído entre ellos, recordando la primera vez que había visto un avión. Era como si una serie interminable de hangares se hubieran entreabierto en la base aérea de su memoria y de cada uno, como una abeja joven que emerge de su celda, surgió el recuerdo de un avión.

La primera vez que vi un avión yo era muy pequeño y los aviones eran nuevos en el mundo. Tenía cuatro años y medio y el único avión que había visto nunca era una maqueta colgada del techo de la exposición de automóviles de la feria del Estado. Pero yo no sabía que sólo era una maqueta. No sabía lo grande que es un avión de verdad, ni lo muy caro. Pa-

ra mí era un juguete fascinante, completo en sí mismo, que mi madre dijo que sólo podían tener los niños blancos ricos. Me quedé tieso de admiración, con la cabeza echada hacia atrás mientras contemplaba el pequeño avión gris que describía arcos por encima de los resplandecientes techos de los automóviles. Y prometí que, rico o pobre, algún día yo tendría un juguete así. Mi madre tuvo que sacarme a rastras de la exposición, y ni siquiera el tiovivo, la noria, ni los caballos de carreras consiguieron atraer mi atención durante el resto de la feria. Estaba demasiado ocupado imitando el zumbido del avión con los labios e imitando con las manos el movimiento, rápido y circular, que hacía al volar.

Después de eso ya nunca más usé los trozos de madera que había en nuestro jardín trasero para construir carretas y coches... ahora los usaba para aviones. Construí biplanos, usando trozos de tabla para las alas, una cajita para el fuselaje, otro trozo de madera para el timón. El viaje a la feria había introducido algo nuevo en mi pequeño mundo. Pregunté repetidamente a mi madre cuándo volvería a haber feria. Me tumbaba en la hierba y observaba el cielo y cada pájaro que pasaba volando se convertía en un avión que planeaba. Tendría que pasar un año hasta poder ver nuevamente un avión. Les daba a todos la lata con preguntas sobre los aviones. Pero los aviones también eran nuevos para los mayores, y había pocas cosas que me pudieran contar. Sólo un tío mío tenía algunas respuestas. Y mejor todavía, era capaz de tallar hélices con trozos de madera que giraban rápidamente con el viento, haciendo ruidosas eses en clavos engrasados.

Yo quería un avión más que cualquier otra cosa; más de lo que quería la carreta roja con ruedas de goma, más que el tren que corría por la vía con su hilera de vagones. Se lo pedía a mi madre una y otra vez.

—¿Mamá?

—¿Qué quieres, cariño? —decía ella.

—Mamá, ¿no te enfadarás si te lo pido? —decía yo.

—¿Qué quieres ahora? No tengo tiempo para andar contestando tantas preguntas idiotas. ¿Qué quieres?

—Mamá, ¿cuándo me vas a comprar uno? —preguntaba yo.

—¿Comprar un qué? —decía ella.

—Ya lo sabes, mamá; lo que te estoy pidiendo es...

—Niño —dijo ella—, si no quieres que te dé una zurra será mejor que me sigas diciendo de qué estás hablando para que yo pueda seguir con mi trabajo.

—Oye, mamá, sabes...

—¿Qué te acabo de decir? —dijo ella.

—Quiero saber cuándo me vas a comprar un avión.

—¡UN AVIÓN! Oye, ¿estás loco? ¿Cuántas veces te tengo que decir que dejes esas tonterías? Ya te he dicho que esas cosas cuestan mucho. ¡Te prometo que no verás más la luz del día si no dejas de darme la lata con esas cosas!

Pero eso no me frenaba, y unos pocos días después lo volvía a intentar.

Entonces un día pasó algo extraño. Era primavera y por lo que fuera yo había estado discutidor e irritable toda la mañana. Era una primavera hermosa. Lo notaba mientras jugaba descalzo en el jardín de atrás. Colgaban capullos de los espinosos algarrobos negros como racimos de fragantes uvas blancas.

Aleteaban mariposas a los rayos del sol sobre la corta hierba recién humedecida por el rocío. Yo había entrado en casa a por pan y mantequilla y al salir oí un zumbido constante desconocido. No se parecía a nada que hubiera oído antes. Traté de localizar el sonido. Fue inútil. Era una sensación como la que tuve cuando al buscar el reloj de mi padre, lo oí hacer tictac en una habitación sin verlo. Hizo que tuviera la sensación de que se me había olvidado hacer alguna tarea que me había encargado mi madre... y entonces lo localicé, arriba. En el cielo, volando bastante bajo y a unos cien metros, ¡era un avión! Se acercaba tan despacio que casi no parecía que se moviese. Me quedé con la boca abierta; el pan y la mantequilla se me cayeron al suelo. Quise dar saltos y soltar vivas. Y cuando se me ocurrió la idea temblé de emoción: el avión de un niño rico se le había escapado y lo único que tenía que hacer yo era estirar las manos y ¡sería mío! Era un avión pequeño como el de la feria, y no volaba más arriba de las vigas de nuestro tejado. Al ver que se acercaba constantemente sentí que el mundo se llenaba de esperanzas. Abrí la puerta de tela metálica y me subí a ella y me quedé allí encaramado, esperando. Agarraría el avión en cuanto se acercase bastante y me haría con él y correría dentro de la casa antes de que nadie me pudiera ver. Luego nadie podría venir a reclamar el avión. Zumbaba cada vez más cerca. Entonces, cuando colgaba como una cruz de plata en el azul justo encima de mí, estiré la mano y lo agarré. Fue como atravesar una pompa de jabón con el dedo. El avión siguió volando, como si me hubiera limitado a echarle el aliento. Lo volví a agarrar, frenéticamente, tratando de sujetarlo por la cola. Mis dedos se cerraron en el aire y la decepción surgió ten-

sa y dura en mi garganta. Soltando un último jadeo
desesperado, me estiré hacia delante. Solté los dedos de
la puerta de tela metálica. Estaba cayendo. El suelo
se estrelló con dureza contra mí. Pateé en el suelo con
los talones y cuando recuperé el aliento, me quedé allí
tumbado, berreando.

Mi madre cruzó la puerta corriendo.

—¿Qué te pasa, niño? ¿Qué demonios es lo que
te pasa?

—¡Se ha ido! ¡Se ha ido!

—¿Qué se ha ido?

—El avión...

—¿Avión?

—Sí, justo igual que el de la feria... yo... yo
traté de pararlo y siguió como si nada.

—¿Cuándo, hijo?

—Ahora mismo —exclamé, entre lágrimas.

—¿Adónde se ha ido, hijo, en qué dirección?

—Por allá lejos.

Ella examinó atentamente el cielo, con los brazos en jarras y el mandil a cuadros agitándose al viento,
mientras yo señalaba el avión que se había esfumado.
Finalmente ella bajó la vista hacia mí, moviendo lentamente la cabeza a un lado y a otro.

—¡Se ha ido! ¡Se ha ido! —lloriqueé yo.

—Niño, ¿eres tonto o qué? —dijo ella—. ¿No
ves que era un avión de verdad y no uno de esos de
juguete?

—¿De verdad?... —olvidé llorar—. ¿De verdad?

—Eso mismo, de verdad. ¿No sabes que eso
que querías agarrar es más grande que un coche? Tú
aquí tratando de alcanzarlo, y apuesto a que volaba
a más de doscientos kilómetros por encima de ese techo

—*estaba enfadada conmigo*—. *Entra en casa antes de que alguien más vea lo idiota que has resultado ser. Debes de creer que esos bracitos tuyos son tan tremendamente largos...*

Me llevó dentro de la casa y me desnudó, me metió en la cama y llamaron al médico. Yo lloré amargamente; tanto por la decepción al darme cuenta de lo lejos que quedaba el avión de mi alcance, como por el dolor.

Cuando llegó el médico oí que mi madre le contaba lo del avión y le preguntaba si mi cabeza iría bien. Él explicó que tendría fiebre unas cuantas horas. Pero me tuvieron en cama una semana y constantemente veía al avión en sueños, volando justo un poco más allá de las puntas de mis dedos, desplazándose tan lentamente que apenas parecía moverse. Y cada vez que intentaba agarrarlo, fallaba, y en cada sueño oía a mi madre advirtiéndome:

> *Jovencito, jovencito,*
> *Tienes los brazos demasiado cortos*
> *Para boxear con Dios...*

—¡*Eh, hijo!*

Al principio Todd no sabía dónde estaba y miró al viejo que señalaba, con ojos borrosos.

—¿No es uno de esos aviones tuyos que viene a por ti?

Cuando se le aclaró la visión, vio una pequeña forma negra por encima de un campo lejano, volando entre las ondas del calor. Pero no estaba seguro y con el dolor tuvo miedo de que se hubiera hecho realidad una horrible fantasía recurrente de que las hojas de una hélice le partían por la mitad.

—¿Crees que nos verá? —oyó.

—¿Vernos? Eso espero.

—¡Se acerca como un murciélago infernal!

Estirándose, oyó el débil sonido de un motor y esperó que estuviera por encima pronto.

—¿Cómo te encuentras?

—Igual que en una pesadilla —dijo él.

—Mira, ¡ha hecho una curva y va en la otra dirección!

—A lo mejor nos ha visto —dijo él—. A lo mejor ha ido para que venga la ambulancia y un equipo de tierra —y, pensó con desesperación, a lo mejor ni siquiera los había visto.

—¿Adónde mandó usted al chico?

—A casa de Mister Graves —dijo Jefferson—. El dueño de estas tierras.

—¿Cree que habrá llamado por teléfono?

Jefferson le miró rápidamente.

—Claro que sí. Dabney Graves tiene mala fama por culpa de esos asesinatos, pero llamará...

—¿Qué asesinatos?

—Los de esos cinco tipos... ¿no te has enterado? —preguntó el viejo, sorprendido.

—No.

—Todo el mundo sabe eso de Dabney Graves, en especial los de color. Ha matado a unos cuantos de los nuestros.

Todd tuvo la sensación de estar atrapado en un barrio de blancos después de hacerse de noche.

—¿Qué habían hecho? —preguntó.

—Pensó que eran ellos —dijo Jefferson—. Y algunos le debían dinero, como pasa conmigo...

—Pero ¿por qué sigue usted aquí?

—Tú eres negro, hijo.

—Ya lo sé, pero...

—Tienes que tratar con los blancos, también.

Apartó la vista de los ojos de Jefferson, a la vez consolado y acusado. Y tendré que tratar con ellos pronto, pensó, con desesperación. Cerrando los ojos, oyó la voz de Jefferson mientras el sol ardía rojo sangre sobre sus párpados.

—No tengo otro sitio al que ir —dijo Jefferson—, y me perseguirían si lo hiciera. Pero Dabney Graves es un tipo raro. Está gastando bromas todo el tiempo. Puede ser malo como el demonio, y entonces es capaz de cambiar completamente de opinión y apoyar a los de color contra los blancos. Le he visto hacerlo. Pero yo lo odio por más cosas que ésa. Porque en cuanto se cansa de ayudar a un hombre no le importa lo que le pase. Se limita a dejarlo tirado. Y luego los otros blancos son el doble de duros con cualquiera al que él haya ayudado. Para él es sólo una broma. Le importan un comino los demás... sólo él mismo...

Todd percibió el toque de distanciamiento de la voz del viejo. Era como si sujetara sus palabras con el brazo que tenía estirado para evitar su significado destructor.

—En cuanto te hace un favor y luego te da la espalda, tienes que ahorcarte. Yo me mantengo lejos de su camino porque aquí es lo que hay que hacer.

Si al menos el tobillo me dejara de doler un rato, pensó. Cuanto más desciendo en barrena hacia la tierra, más negro me vuelvo, se le pasó por la cabeza. Le entró sudor en los ojos y estaba seguro de que nunca vería el avión si la cabeza le continuaba dando vueltas. Trató de ver a Jefferson, qué era lo que Jefferson agarraba con la mano. Era un negro pequeño, ¡otro Jefferson! Un Jefferson negro más pequeño que se retorcía de ataques de risa mientras el otro Jefferson miraba con distanciamiento. Luego Jefferson alzó la vista de la cosa de su mano y se volvió para hablar, pero Todd estaba muy lejos, examinando el cielo en busca de un avión en una ardiente tierra seca un día y época que él hacía tiempo había olvidado. Iba misteriosamente con su madre por calles desiertas donde caras negras atisbaban detrás de cortinas corridas y alguien daba golpecitos en una ventana y él volvió la vista y vio una mano y una cara asustada haciendo señas frenéticas desde una puerta rota y su madre miraba la vacía perspectiva de la calle y negaba con la cabeza y le obligaba a que se diera prisa y al principio sólo fue un relámpago lo que vio y un motor estaba sonando como si el resplandor del sol que veía brillara plateado cuando daba vueltas y estaba viendo un estallido como un chorro de humo blanco y oía decir a su madre:

—Vamos, chico, no tengo tiempo que perder con esos aviones estúpidos, no tengo tiempo.

Y él lo vio por segunda vez, el avión que volaba alto, y el chorro apareció de repente y cayó poco a poco, ondulando y estallando como fuegos artificiales y él estaba mirando y le metían prisa mientras el aire se llenaba de una ráfaga de tarjetas blancas que dispersaba el viento y caían sobre los tejados y entraban en los canalones y una mujer corría y agarraba una tarjeta y la leía y gritaba y él salió disparado hacia la nevada de papeles, agarrándolos como en invierno trataba de agarrar los copos de nieve y se alejaba dando saltos de su madre:

—¡Ven aquí, niño! ¡Que vengas, te digo!

Y él observaba cómo ella tiraba la tarjeta viendo su cara cada vez más complicada y poniéndose tensa mientras su voz decía con voz trémula:

—Prohibido votar a los sucios negros —y se apagaba ante un gemido de terror mientras él veía las cuencas sin ojos de un capuchón blanco que le miraban desde la tarjeta y por encima vio al avión haciendo graciosas espirales, destellando al sol como una espada encendida. Y al verlo elevarse quedó traspuesto, paralizado entre un espantoso horror y una horrible fascinación.

El sol ya no estaba tan alto, y Jefferson gritaba, y gradualmente él vio tres personas que se movían por la parte más alta del campo abombado.

—Fíjate, parecen médicos, todos vestidos de blanco —dijo Jefferson.

Por fin venían, pensó Todd. Y notó tal liberación de tensión en su interior que pensó que se desmayaría. Pero en cuanto cerró los ojos, le agarraron y se encontró luchando con tres blancos que le obligaban a que metiera los brazos en una especie de abrigo. Aquello era excesivo para él, le sujetaron los brazos a los costados y cuando el dolor le ardía en los ojos, comprendió que se trataba de una camisa de fuerza. ¿Qué broma de mal gusto era aquélla?

—Eso debería mantenerle quieto, Mister Graves —oyó.

Todas sus energías parecían centradas en sus ojos mientras trataba de distinguir los rostros. Aquél era Graves, los otros dos llevaban uniforme de enfermeros. Todd estaba suspendido entre dos postes de miedo y odio cuando oyó que el que se llamaba Graves decía:

—Parece como hecha a su medida, esa camisa. Me alegra que anduvierais por aquí.

—Este chico no está loco, Mister Graves —dijo uno de los otros—. Necesita un médico, no a nosotros. No entiendo, de todos modos, cómo nos hizo venir. Para usted será una broma, pero su primo Rudolph es capaz de matar a alguien. Los blancos o los negros no son distintos.

Todd vio que el hombre se ponía rojo de rabia. Graves bajó la vista hacia él, riéndose entre dientes.

—Este maldito negro debe estar dentro de una camisa de fuerza también, muchachos. Yo sabía que el chico de Jeff dijo algo de un aviador negro. Todos sabéis que ningún negro de mierda puede subir tan alto sin volverse loco. El cerebro de los negros no está hecho para las grandes alturas...

Todd contemplaba la cara roja que hablaba cansinamente, notando que todo el horror sin nombre y las obscenidades indescriptibles que alguna vez había imaginado acababan de materializarse ante él.

—Nos vamos de aquí —dijo uno de los enfermeros.

Todd vio que el otro se inclinaba hacia él, dándose cuenta por primera vez de que estaba tumbado en una camilla cuando gritó:

—¡No me ponga las manos encima!

Se echaron hacia atrás, sorprendidos.

—¿Qué es lo que dices, negro de mierda? —preguntó Graves.

Todd no respondió y pensó que el pie de Graves apuntaba a su cabeza. Cayó encima de su pecho y casi no podía respirar. Tosió desamparadamente, viendo que los labios de Graves se tensaban encima de sus dientes amarillos, y trató de apartar la cabeza. Fue como si una mosca moribunda se arrastrara por su cara lentamente, y una bomba pareció explotar en su interior. Estallidos de calor, una risa histérica le desgarró el pecho, haciendo que se le salieran los ojos, y notó que las venas del cuello seguramente reventarían. Y entonces una parte suya se mantuvo aparte de todo eso, contemplando la sorpresa de la cara roja de Graves y su propia histeria. Pensó que nunca pararía, que se reiría de sí mismo hasta la muerte. Eso resonaba en sus oídos como la risa de Jefferson y le buscó con la vista, centrando sus ojos desesperadamente en su cara, como si en cierto modo se hubiera convertido en su única salvación en un mundo demente de atrocidades y humillaciones. Eso le proporcionó cierto alivio. De pronto fue consciente de que aunque su cuerpo todavía se contorsionaba, aquello constituía un eco que ya no resonaba en sus oídos. Oyó la voz de Jefferson con gratitud.

—Mister Graves, el ejército le dijo que no abandonase su avión.

—¡Jodido negro, del ejército o no, te largarás de mis tierras! Ese avión puede quedarse porque lo pagó el dinero de los contribuyentes. Pero tú te largas. Vivo o muerto, a mí me da lo mismo.

Todd ahora estaba más allá de aquello, perdido en un mundo de angustia.

—Jeff —dijo Graves—. Tú y Teddy acercaos y agarradle. Quiero que llevéis a esta águila negra a ese campo de aviación de negros de mierda y lo dejéis.

Jefferson y el chico se acercaron a él en silencio. Todd apartó la vista, dándose cuenta y dudando a la vez de que sólo ellos podrían liberarle de su abrumadora sensación de aislamiento.

Se agacharon para agarrar la camilla. Uno de los enfermeros avanzó hacia Teddy.

—¿Crees que te las podrás arreglar, chico?

—Creo que sí, claro —dijo Teddy.

—Bien, será mejor que tú vayas detrás, y dejes a tu padre delante para mantener en alto esa pierna.

Todd vio que los blancos caminaban delante cuando Jefferson y el chico le llevaban en silencio. Luego se detuvieron, y notó que una mano le secaba la cara, luego se volvía a mover. Y fue como si le hubieran sacado de su aislamiento, de vuelta al mundo de los hombres. Una nueva corriente de comunicación circulaba entre el hombre, el niño y él mismo. Le movían con cuidado. A lo lejos oyó un sinsonte que trinaba claramente. Alzó la mirada, viendo un buitre colgando inmóvil en el espacio. Durante un momento la tarde entera pareció suspendida, y esperó que el horror se volviera a apoderar de él. Entonces, como una canción dentro de su cabeza, oyó el suave tarareo del chico y vio a la negra ave que planeaba hacia el sol y brillaba como un pájaro de llamas doradas.

Cross Section, 1944

Epílogo de John F. Callahan

1.

«Nunca pudiste decir adónde ibas», observó
el Hombre Invisible de Ralph Ellison, consideran-
do las vueltas y revueltas de su destino. «Empezaste
buscando pieles rojas y los encontraste... aunque
fueran de una tribu diferente y en un nuevo mundo
resplandeciente.» Lo mismo pasó con el descubrimiento de Ellison de su identidad como escritor.
Y lo mismo pasó con esta selección de cuentos
suyos.

«Me tropecé con la escritura», admitió
Ellison en 1961, en una entrevista con el novelista
Richard G. Stern. Al principio, en Oklahoma,
desde que a los ocho años su madre le compró
una corneta usada, la música era su vida. Cuando
estudiaba en el instituto, Ellison cortaba el césped
a cambio de clases de trompeta del director de
música Ludwig Hebestreit, el cual, impresionado
por su seriedad y talento, también le dio algunas
lecciones improvisadas de orquestación. En 1933,
según sus inéditas «Notas autobiográficas», escritas antes de la publicación de *El hombre invisible,*
después de «ser ascensorista dos años por ocho dólares a la semana en un esfuerzo inútil por ahorrar
para la matrícula», le concedieron una beca en el
Tuskegee Institute para estudiar composición sin-

fónica y trompeta con el afamado William L. Dawson, cuyo coro Tuskegee actuó en Radio City. Incapaz de pagarse el billete de tren, hizo el camino desde Oklahoma City a Alabama viajando sin pagar en vagones de mercancías de media docena de trenes.

Un año después de su llegada a Nueva York en el verano de 1936, con la esperanza —inútil, resultó ser— de ganar dinero para matricularse en segundo curso, Ellison conoció y entabló amistad con Richard Wright. Había terminado pero todavía no había encontrado editor para su primer libro, *Hijos del Tío Tom,* y Wright animó a Ellison para que hiciese la reseña de una novela en el número de otoño de 1937 de la revista *New Challenge,* que él codirigía. Ellison accedió: «Aceptaron y publicaron mi reseña», recordaba él, «y así quedé enganchado». Sin embargo, una reseña no hace a un escritor, y mucho menos convierte a un músico en narrador. Intervino una vez más Wright, y la sombra del destino de Ellison se desplazó más cerca de la acción. «Basándose en esa reseña», recordaba Ellison, «Wright sugirió que probara con un cuento, lo que hice» —de nuevo para *New Challenge.* «Traté de servirme de lo que sabía de los viajes en trenes de mercancías. Le gustó el cuento lo bastante para aceptarlo, y llegaron a imprimirse galeradas, cuando quedó fuera del número porque había demasiado material. Inmediatamente después la revista desapareció.» El relato era «El vigilante de Hymie», y en la parte de arriba de la primera página del texto mecanografiado final, Ellison trazó un rectángulo en torno al año 1937 con enérgica tinta negra. No está claro con exactitud dónde escribió el que aparentemente fue su primer cuento. A lo mejor lo empezó en Nueva York, donde, tras un coqueteo con la escultura, todavía estaba intentando ser músico. La vida en Nueva York aquel verano de 1937 fue caótica para Ellison. Al igual que muchos con aspiraciones artísticas que alcanzaron la mayoría de edad en la década de 1930, Ellison también participó en las movilizaciones de apoyo a la España republicana, y participó en la campaña a favor de la liberación de los nueve jóvenes negros de Scottsboro, declarados culpables y condenados a muerte basándose en acusaciones inventadas de que habían violado en grupo a dos mujeres blancas en un furgón, en Alabama.

Entretanto, en Dayton, Ohio, la madre de Ellison, Mrs. Ida Bell, que se había trasladado allí desde Oklahoma City el año anterior, se cayó desde un porche, y su auténtica enfermedad —tuberculosis ósea— fue erróneamente diagnosticada como artritis. Ellison llegó a Ohio a mediados de octubre. Con sólo un cuento sin publicar en su haber, no tenía la menor idea de que estaba al borde de un cambio drástico en su vida. Esperaba quedarse sólo lo suficiente para ver a su madre durante su enfermedad y convalecencia. Pero se equivocaba. Y su experiencia hizo que se soltaran las ataduras internas que él creía haber hecho muy sólidas durante los cuatro años anteriores en Tuskegee y en Nueva York.

En una carta encabezada por «Queridos míos», con fecha del 17 de octubre de 1937, escrita desde Dayton, probablemente a parientes o amigos de Oklahoma City, cuenta lo que había encontrado unos días antes en el hospital de Cincinnati en el que estaba internada su madre cuando el estado de ella empeoró repentinamente. «Llegué a Cincinnati el viernes a las seis menos cuarto de la mañana y encuentro que mi madre se nos iba, y se hallaba en tal estado que ni siquiera me reconoció. A las once del día siguiente se había ido. Tenía tales dolores que no reconocía a nadie. Es la cosa peor [sic] que me haya pasado nunca y no puedo explicar el vacío.» Diez días después escribe a Richard Wright que la muerte de su madre supuso el final de su infancia. A diferencia del supuesto cambio que notó al llegar a Nueva York, la pérdida de su madre «es auténtica, y la cosa más definitiva con la que me he enfrentado nunca». La enfermedad de su madre y su muerte inesperada se convirtieron en un doloroso catalizador, pues, como Ellison contó más tarde en *Sombra y acción,* fue «durante ese periodo cuando empecé a pensar seriamente en escribir y eso supuso el punto de ruptura».

«Uno tiene que alejarse del hogar para encontrar el hogar», garabateó Ellison años más tarde en el margen de la novela que escribía. Y aquel octubre de 1937, atascado en Dayton y deshabitado de emociones, Ellison, como su futuro personaje el Hombre Invisible, descendió a los abismos de sí mismo, enfrentándose a la oscuridad, y emergió resuelto a abrirse paso con la escritura entre el dolor y la pérdida. Si «la geografía es el destino», como a Ellison le gustaba decir de su nacimiento y primeros años en Oklahoma, en Dayton el destino fue consecuencia de la geografía. No mucho después, apareció un embajador de los dioses en forma de un hombre de leyes, Stokes. Uno de los primeros abogados negros de Dayton y un hombre cuyo hijo menor tenía la edad de Ellison, William O. Stokes se hizo amigo del desconocido que se había quedado sin madre, sin padre. Al ver que Ellison se refugiaba en un restaurante cercano para garabatear en un barato bloc de espiral, el abogado Stokes le dio al joven una llave de su bufete. Por lo tanto, como Ellison le contó en una carta de 1985 a su vieja amiga Mamie Rhone: «Algunos de mis esfuerzos más tempranos los hice con su máquina de escribir y en su papel». (De hecho, los manuscritos de varios de sus cuentos inéditos de primera hora fueron escritos a máquina en papel timbrado del Comité Ejecutivo Republicano del Condado de Montgomery, Departamento de los de Color, una organización que tenía cuatro miembros, uno de los cuales era el abogado W. O. Stokes.)

Stokes fue benefactor de Ellison en aspectos más fundamentales. «Cuando mi hermano Herbert y yo nos quedamos sin sitio donde vivir, el abogado Stokes nos dejó dormir en su despacho y hacer uso de su retrete e instalaciones sanitarias.» Republicano inquebrantable de los de Lincoln a pesar de la Depresión y la pujanza de Franklin D. Roosevelt, Stokes discutía de política con Ellison, que entonces se consideraba un joven izquierdista y que escribió el 27 de octubre de 1937, desde lo que él llamaba su «exilio» en Dayton, a Richard Wright, en Nueva York, que «aquí no hay ningún *Daily [Worker]*, ningún *[New] Masses*»; y el 8 de noviembre, «lo único que hay aquí es el *New Re-*

public y la radio». Ellison recordaba esta «amistad incongruente e instructiva» con el abogado Stokes en su carta de 1985 a Mamie Rhone, confesando que «el apoyo y el estímulo» de Stokes le habían ayudado a superar «lo que parecía un periodo de desesperación».

La amistad y hospitalidad de Stokes, después de la desolación provocada por la pérdida de su madre, debe de haber conjurado en Ellison recuerdos de Mr. J.D. (esto es, Jefferson Davis) Randolph, empleado de la Biblioteca de Derecho del Estado, allá en Oklahoma City, un especialista autodidacta en Derecho, que había tratado a Ralph como a un pariente en la época que siguió a la muerte de su padre. Habiéndose quedado una vez más sin un pariente muy próximo, el joven Ellison volvió a encontrar afecto, esta vez en el abogado Stokes. En efecto, Stokes le enseñó el camino a casa. Le dio refugio en su bufete, ocupó su mente y, alentándole a reconocer su trabajo como escritor, le ayudó a prepararse para emerger como un hombre en el mundo. No extraña mucho que Ellison le dijera a Wright que encontraba las calles de Dayton «muy parecidas a las de Oklahoma City, donde he nacido». En Dayton no tuvo suerte para encontrar los empleos ocasionales que había tenido de más joven en Oklahoma City. Vivía con una mano detrás y otra delante y, como le contó a Wright, pasaba la mayor parte del tiempo en el bosque arrancando «peras que crecían silvestres», y recogiendo frutos secos y «nueces de un estupendo sabor a mantequilla». En los fríos y nevados campos de los alrededores, apoyado en la prosa de Ernest Hemingway y en lo que había aprendido de la caza con su padrastro en los matorrales de Oklahoma, cazaba conejos, codornices y faisanes para ganarse la vida. En su artículo «Febrero», escrito casi veinte años después, Ellison recuerda su hallazgo de una sencilla manzana en el suelo, «protegida por las hojas y la hierba, conservada por la nieve». Recuerda la belleza serena, profunda, de la cola de una codorniz que mató con su escopeta, y recuerda su alegría súbita por haber superado los campos estériles de la muerte de su madre y «pasado a una fase nueva de la vida». Como en el viaje posterior de su compañero en Tuskegee, Albert Murray, en *Al sur de un sitio muy viejo,* Ellison viajó desde Nueva York hacia el Oeste hasta un sitio muy viejo, y encontró Oklahoma en Ohio.

Ellison cerraba su carta a Richard Wright del 8 de noviembre con las palabras «¡¡¡¡Trabajadores del mundo, escribid!!!!». No estaba bromeando. Y lo que no decía —pero que los manuscritos de sus primeros cuentos inéditos dejan claro— es que, tras horas en el bufete de Stokes, Ralph Ellison se convirtió en escritor. En Dayton, durante los siete meses entre octubre de 1937 y abril de 1938, escribió borradores o borradores parciales de varios cuentos, dos o tres esbozos, y más de un centenar de páginas de una novela a la que se refería simplemente como *Slick,* obra que abandonó pero de la que sobrevive un fragmento considerable. En este nuevo mundo, recuerdos de su antigua vida en Oklahoma se abren paso con esfuerzo entre estratos de pérdida y aflicción, y Ellison usó el dolor como un pasaporte al país literario de la imaginación.

2.

Como Odiseo, Ellison se enfrentó a lo que en su artículo «Cuenta cómo es, chica» él iba a llamar «nuestra soledad de huérfanos». Al buscar el camino a casa, se dio cuenta de que la auténtica geografía del hogar residía en el interior. Nueva York era el futuro al que apuntaba, Oklahoma el país del recuerdo, y Dayton el punto extrañamente conocido del cruce de caminos de su vida. Años después, en la Introducción a *Sombra y acción*, contó cómo en lo más secreto de su corazón continuaba considerándose músico. Pero durante aquellos siete meses en Dayton deshizo el nudo gordiano de su «complicada y semiconsciente estrategia de autoengaño, una negativa por parte de mi mano derecha [la de músico] a reconocer adónde se dirigía mi mano izquierda [la de escritor]». Músico y escritor se mantuvieron lo suficientemente unidos para que la identidad artística de Ellison emergiera con un equilibrio ambidiestro, ventajoso, entre música y literatura. El joven que había soñado con componer una sinfonía hacia la época en que cumplió los veintiséis años juró lealtad a la tribu de los novelistas y terminó escribiendo *El hombre invisible*, una novela con rasgos de la forma sinfónica además del ritmo y las pautas del jazz.

Aunque fuese su primera novela, *El hombre invisible* supuso una culminación artística, pues en Dayton, y al cabo de un tiempo en Nueva York, Ellison fue un aprendiz que iba dominando poco a poco su oficio. Anteriormente, había aprendido la lección de lo duro que significa ser aspirante a músico en Tuskegee. En «El hombrecillo de la estación de Chehaw» (un apeadero no lejos de Tuskegee) recordaba un recital público en el que «sustituyendo con cierta habilidad de labios y dedos la inteligente y artística estructura de la emoción» sufrió vergüenza, críticas mordaces por parte de sus profesores. Menos severa y más beneficiosa fue la reprimenda administrada en privado por Hazel Harrison, el concertista de piano y confidente que, mientras estaba en Europa, había disfrutado del respeto de Ferruccio Busoni y Sergei Prokofiev. La honestidad de Harrison proporcionó a Ellison la clave de la relación entre el artista y su público: «uno *siempre* debe tocar lo mejor que pueda, aunque sólo esté en la sala de espera de la estación de Chehaw, porque en este país siempre habrá un hombrecillo escondido detrás de la estufa» y «él conocerá la *música,* y la *tradición,* y los modelos de la *musicalidad* requeridos para cualquier cosa que uno se proponga interpretar». Las palabras de Harrison causaron una impresión profunda en Ellison. Adoptó una disciplina muy severa y decidió interpretar o escribir siempre como si el hombrecillo de la estación de Chehaw estuviera mirando por detrás de su hombro.

En una meditación sin fecha, Ellison rastrea su compromiso con esa misma «estructura de la emoción» que una vez había descuidado como trompetista en Tuskegee. Recapitula sobre el impacto de tres novelas del siglo XIX —*Cumbres borrascosas, Jude el oscuro, Crimen y castigo*— cuando, como estudiante, descubrió por primera vez la potencia artística de la narrativa. «Extrañamente, sin duda», añade, como si ya poseyera el alma del novelista, «esas novelas que tanto me conmovieron no lo hicieron hasta el punto de tratar de escribir narraciones». En lugar de eso, tomó un poema, *Tierra baldía,* de T. S. Eliot, que Ellison descubrió en Tuskegee en 1935, para avivar la loca idea de que la narrativa, no la música, podría ser su auténtica forma artística. Siempre leal a sus inclinaciones musicales, mientras su ojo leía fragmentos de Eliot, su oído escuchaba las «doscientas variaciones en el tema de *Chinatown* de Louis Armstrong. Y era el dominio de la tradición, vernácula y clásica, consideraba Ellison, lo que permitía a los músicos de jazz y también a los poetas, en palabras del Hombre Invisible, "introducirse entre los cortes y echar una ojeada alrededor", luego improvisar con un estilo individual original».

El recuerdo de Ellison no resuelve el misterio de por qué alguien que aspira a componer sinfonías y a tocar la trompeta, se decidiría por la narrativa desde una expresión creadora musical. Pero conmovido sí estaba, aunque conmovido en las todavía aguas tranquilas de debajo de la superficie de sus ambiciones conscientes por componer sinfonías. Ellison profundizó en *Tierra baldía* leyendo el estudio sobre los modernos publicado en 1931 por Edmund Wilson, *El castillo de Axel,* tan cargado de marxismo soviético en la conclusión; luego profundizó en las fuentes mencionadas en las notas de Eliot y en todos los poetas modernos y sus críticos que pudo conseguir. Había muchos en la biblioteca de Tuskegee, y para Ellison fue una fuente de orgullo y alegría que le duró toda la vida haber descubierto a Eliot y Joyce, Pound y Yeats,

Conrad, Stein, Hemingway y otros de su línea, y leerlos allí por primera vez.

Finalmente, en el mismo relato de sus primeros impulsos como escritor, Ellison recuerda la epifanía de la prosa de Hemingway, cómo «su dicción se convirtió en una especie de iris especial de mis ojos a través del cual las escenas y la acción física adquirían una nueva intensidad». Más tarde, al escribir relatos como «Vuelo a casa», y todavía más tarde, en *El hombre invisible,* Ellison encuentra el idioma norteamericano y su tradición afroamericana más expansiva, fluida y ecléctica que las expresiones y las actitudes duras que prefería Hemingway. Pero como joven que intentaba aprender a escribir durante la década de 1930, «en la obra de Hemingway descubrí algo con el mismo carácter inquietante que me había emocionado en la poesía, ese carácter que hace que queden más cosas implícitas de las que se exponían explícitamente». Esta técnica, reconoció Ellison, ofrecía ciertas dificultades, dificultades que eran parientes cercanas de los desafíos de su especial condición de norteamericano. «Pues encontré», observó en la Introducción a *Sombra y acción,* «que la mayor dificultad para un escritor negro era el problema de revelar lo que sentía verdaderamente, en lugar de responder a lo que los negros se suponía que sentían, y se les animaba a que sintieran».

Al aprender a escribir, Ellison enmienda el credo de Hemingway. No se aferra a la dificultad de Hemingway de «saber auténticamente lo que de verdad sientes»; más bien, consciente de los peligros implícitos (y explícitos) de ser miembro de la minoría negra en Estados Unidos, él no insiste en la cuestión de saber lo que sentía —eso lo sabía— sino en el problema retórico de cómo expresarlo. (Éste será el genio de Ellison en *El hombre invisible:* desde la afirmación de apertura —«Soy un hombre invisible»—, a la pregunta de cierre —«¿Quién sabe sino que, en las frecuencias más bajas, hablo por ti?»—, el protagonista del mismo nombre narra *cómo* se siente con una progresión de variaciones de jazz que despegan y regresan a la línea del bajo de la invisibilidad). ¿Pensaba Ellison en las variaciones, las síncopas, el *swing* del jazz cuando escribió en esa misma reflexión sobre cómo se convirtió en escritor, que la prosa de Hemingway «no avanzaba como hacía la prosa habitual que yo conocía, y sus ritmos eran más breves y circulares»?

Ellison señala que Hemingway «podía destilar la mayor emoción a partir de los efectos más inexpresivos, aparentemente casuales, infravalorados». El valor de Hemingway al enfrentarse con las «dificultades de la convención», y los ritmos y los «aspectos infravalorados de su prosa», despertaron el sentido de Ellison de su propia situación artística. De modo que, explica él, cuando «varios años más tarde empecé a tratar de escribir narrativa, elegí a Hemingway como modelo». De universitario, había leído los relatos de Hemingway en ejemplares del *Esquire* que había en la barbería, y sus libros en la biblioteca de Tuskegee. Más tarde, en el invierno de 1937-1938, cuando empezó a notar la fiebre del escritor, Ellison recordaba en una carta de 1984 a John Roche, él «andaba un par de kilómetros más o menos desde el barrio negro al centro de Dayton» todos los días para conseguir un ejemplar de *The New York Times* y «leer las crónicas de Hemingway de la guerra civil española que estudiaba por cuestiones de estilo y también para informarme».

Para el joven Ellison el estilo era el *donnée* del arte y la personalidad. Como chico que había vivido en un Estado que cambiaba rápidamente de ser un territorio fronterizo al Oklahoma de los odiosos disturbios de Tulsa de 1921, y de los absurdos racistas representados por el candidato perenne y finalmente gobernador «Alfalfa Bill» Murray, Ellison ansiaba, escribió más tarde en *Sombra y acción:* «Abordar todas y cada una de las cualidades del negro norteamericano; apropiarme de ellas, poseerlas, recrearlas en nuestro propio grupo y nuestras imágenes individuales». Junto a varios amigos de juventud afroamericanos de Oklahoma, soñaba con convertirse en un hombre del Renacimiento en gran parte debido a las elegantes muestras de estilo por parte de hombres que en su mayoría nunca se habrían asociado con una idea tan exaltada. «Jugadores y eruditos, músicos de jazz y científicos, vaqueros negros y soldados de las guerras Hispano-norteamericana y Primera Mundial, estrellas de cine y extras, personajes del Renacimiento italiano y la literatura, tanto clásica como popular, se combinaban con las virtudes especiales de algún traficante clandestino de licores local, la elocuencia de algún predicador negro, la fuerza y gracia de algún atleta local, la crueldad de algún médico-negociante, la elegancia de vestido y modales de algún jefe de camareros o portero de hotel.» A partir de estos individuos, Ellison y sus amigos buscaban la creación de modelos compuestos del yo. Aunque

estos tipos no aparezcan *per se* en sus primeras narraciones, el estilo y sentido de sus intentos por
subvertir el mundo y disponer la realidad según su
imagen, señalan la prosa de Ellison.

3.

Después de *El hombre invisible,* Ellison de-
dicó casi enteramente su escritura a la novela en
marcha. Y este proyecto, después del asombroso
e imprevisto éxito de su primera novela, acentuó su
inclinación natural a revisar, revisar, revisar y sólo
lentamente encontraba satisfactoria su obra. A pesar de ello, más de una vez durante el último año
de su vida, los cuentos salieron al primer plano de
la conciencia de Ellison.

La última vez que yo lo vi en su apartamento antes de la enfermedad final —una fría y
brillante tarde de febrero a diez días escasos de su
octogésimo aniversario, en 1994— Ellison habló
de la novela —«las malditas transiciones todavía me
están dando problemas, pero me estoy divirtien-
do»—, y luego me contó que quería publicar sus
cuentos. (Unos meses antes, yo había reunido
los cuentos publicados y se los mandé en una carpeta.) Insinuó que habría más, y bromeó sobre los ar-
chivos que abarrotaban lo que Mrs. Ellison llamó
«el cuartito», junto al zaguán alargado rebosante
de libros de su apartamento. Pero Ellison pronto
dirigió su atención a la ventana y a una solitaria
gaviota que encaraba las pequeñas ondas corona-
das de blanco que se levantaban en el río Hudson
de más abajo. Y me olvidé de sus palabras sobre

los cuentos hasta otra ventosa tarde de dos febreros más tarde en que yo andaba a la caza de determinada parte de la novela.

«John», dijo Mrs. Ellison. «Hay una caja debajo de la mesa del comedor. Échale una ojeada.» Rebusqué dentro, y en el fondo, debajo de revistas antiguas, recortes de prensa y páginas duplicadas impresas de la novela, encontré una carpeta marrón de imitación de cuero con RALPH W. ELLISON grabado en letras doradas en la parte delantera. Dentro de ella, que estaba abultada de manuscritos, había una carpetilla de papel manila rotulada «Primeros cuentos». Los relatos estaban escritos a máquina en un papel amarillento por el tiempo y que empezaba a deshacerse; aquí y allá había pasajes tachados, y revisiones intercaladas a mano por Ralph.

Me di cuenta de que eran cuentos que no se habían publicado nunca, que jamás se habían mencionado; cuentos de los que no sabía nadie. Ante mi sorpresa comprobé que ni siquiera Mrs. Ellison sabía de ellos, y en consecuencia, con una o dos excepciones, yo no había encontrado la menor referencia a los cuentos en los papeles de Ellison. De cualquier modo, estos cuentos desconocidos proporcionaron impulso y forma a la presente colección. Inicialmente, yo había descartado los cuentos publicados anteriormente por Ellison porque ocho de ellos —«Y llega Hickman» (1960); «El techo, la escalera y la gente» (1960); «Siempre se rompe» (1963); «Diez de junio» (1965); «Conversación nocturna» (1969); «Canción de inocencia» (1970); «Un Cadillac flambé» (1973) y «Un ruego al senador» (1977)— eran partes de la novela que estaba escribiendo, cuentos cuyo destino debería esperar la publicación de la novela. «¿Tuviste alguna vez sueños afortunados?» (1954) y «Al salir del hospital y debajo de la barra» (1963), que contaba o se referían a un personaje indispensable de Ellison, Mary Rambo, eran continuaciones o partes que originalmente estaban integradas en *El hombre invisible*. «Se aprende a resbalar» (1939), y quizá indirectamente «La marca de nacimiento» (1940) se relacionaban con *Slick,* la novela empezada en Dayton y luego abandonada definitivamente no mucho después.

El hallazgo de más de media docena de cuentos de la primera época hizo posible reunir un volumen con la mejor prosa publicada por Ellison y con inéditos sueltos. De los primeros he incluido los tres cuentos de Buster y Riley: «Mister Toussan» (1941), «Una tarde» (1940) y «Si yo tuviera alas», y uno más reciente hermano de ellos: «Un par de indios sin cuero cabelludo» (1956). (En un conjunto de notas de 1954 o 1955, Ellison se refería a «Un par de indios sin cuero cabelludo» como un cuento de Buster y Riley, pero antes de su publicación en 1956, cambió a Riley por un narrador sin nombre, quizá porque pensó que podría introducir el relato en los capítulos de Oklahoma pensados para su segunda novela recientemente iniciada. Pero al final no lo hizo, y así el cuento resulta una coda de las narraciones de la primera época de Buster y Riley.) Otros tres relatos, «En el extranjero», «El Rey del Bingo» y «Vuelo a casa», fueron escritos y publicados en 1944, mientras Ellison estaba enrolado en la marina mercante; sólo un año antes escribió la mágica primera frase de *El hombre invisible.*

Los seis cuentos nunca publicados mientras estaba vivo —«Una fiesta abajo en la Plaza» (no titulado por Ellison), «Un chico en tren», «El vigilante de Hymie», «No me enteré de cómo se llamaban», «Difícil mantenerse a su altura» (también sin título) y «La pelota negra»— tienen cronologías más escurridizas. Excepto «El vigilante de Hymie», Ellison no fechó esos cuentos. Cuatro de ellos —«Una fiesta abajo en la Plaza», «Un chico en tren», «No me enteré de cómo se llamaban» y «El vigilante de Hymie»— estaban en la carpetilla con la etiqueta desgastada «Primeros cuentos». (De ellos, el borrador final de «No me enteré de cómo se llamaban» tiene la dirección de Ellison en 1940 —25 Hamilton Terrace, New York City— escrita con tinta negra en la parte de arriba de la primera página. La impresión hecha por las teclas de la máquina de escribir es lo bastante parecida como para sugerir que las versiones finales de esos cuentos, excepto «El vigilante de Hymie», fueron escritas a máquina en Nueva York). Dos bosquejos fragmentarios, titulados «El barman» y «Mujer de un hombre», y un relato mucho más trabajado, a ratos melodramático o neutro, titulado a veces «Uno que esperaba», y otras «Buenas noches, Irene» o «Irene, buenas noches», también estaban en la carpetilla de «Primeros cuentos». Por otra parte, entre los papeles encontré manuscritos de «Difícil mantenerse a su altura» y «La pelota negra». A juzgar por los encabezamientos de los textos mecanografiados, esos dos relatos fueron bosquejados, si no terminados o revisados por completo, durante los febriles meses de escritura de Ellison en Dayton, desde fines de 1937 a abril de 1938, cuando se ganó su sustento mientras escribía trabajando en el *New York Writers Project* de la WPA, un empleo en el que aguantó hasta que Angelo Herndon le convenció para que fuese director gerente de *Negro Quarterly,* en 1942.

No he incluido «Una tempestad con proporciones de ventisca», un cuento que, como «En el extranjero», Ellison escribió en 1944 y situó en Gales mientras navegaba por el Atlántico Norte en la marina mercante haciendo misiones al puerto de Swansea y otros destinos. Escribió dos borradores del cuento en 1944, luego aparentemente los dejó a un lado sujetos con un clip a una larga carta en la que un amigo los elogiaba y criticaba, también fechada en 1944. «Una tempestad con proporciones de ventisca» contiene varios ensueños influidos por Joyce y Hemingway, centrados en Jack Johnson y, más tarde, en la asociación autobiográfica del protagonista (y de Ellison) de Gales con el paisaje de Ohio que llegó a amar después de la muerte de su madre. Excluir el cuento fue de lo más doloroso, porque Ellison se sentía lo bastante unido para incluirlo entre los que había acariciado reunir más de una década antes de su muerte. Lo he dejado fuera porque, aunque personal y sugeridor de las influencias literarias de Ellison, las partes del relato no se terminan de reunir como un conjunto convincente.

Al preparar los cuentos de Ellison para la edición, yo mismo me encontré reproduciendo la polémica entre Edmund Wilson y la Modern

Language Association sobre la naturaleza de las ediciones póstumas. Debería quedar claro que el presente volumen es categóricamente una edición destinada a los lectores, no pretende ser una edición anotada o erudita. En la mayoría de los casos los cambios que he hecho, tanto en los relatos publicados como en los inéditos, son correcciones menores para la preparación del original. Las excepciones se indican con corchetes en el texto. Por ejemplo, en «La pelota negra» he añadido al texto del cuento la nota de Ellison que describe al niño, y en el párrafo inicial de «El vigilante de Hymie» he restaurado a partir de un borrador previo una frase olvidada aparentemente sin intención de lo que parece ser la versión final del relato. Finalmente, he puesto título a dos cuentos que Ellison no tituló, a partir de dos frases de cada uno de los manuscritos del relato respectivo.

El presente conjunto de cuentos es una crónica del descubrimiento por parte de Ellison de *su* tema norteamericano. En técnica y estilo, asunto tratado y ambiente, los trece cuentos muestran las esperanzas y posibilidades del joven escritor a finales de la década de 1930 y su gradual progreso hacia la madurez a mediados de la de 1940, cuando, sin saberlo él, estaba a punto de concebir *El hombre invisible*. El orden que he elegido sigue la vida conocida e imaginada de Ellison, desde la adolescencia y juventud en la década de 1920 y comienzos de la de 1930, a la edad adulta a fines de la de 1930 y comienzos de la de 1940. Asoman aspectos diferentes a partir de los cuentos. A veces la tolerancia y una cautelosa solidaridad atraviesan la línea de color, mientras en otras ocasiones actos inenarrables de crueldad y violencia desfiguran el semblante de la Norteamérica de Ellison. La engañosa «normalidad» de la segregación racial de la década de 1920 está en ellos; también la sacudida de la Depresión y la oportunidad y el antagonismo de la experiencia negra durante la Segunda Guerra Mundial. Ellison experimenta en todos los cuentos con la técnica narrativa, el punto de vista y el impacto de la geografía en la personalidad. Al leerlos, uno se inicia en las formas y aspectos proteicos de la experiencia negra desde aproximadamente 1920 hasta más o menos 1945. La fidelidad de Ellison a la realidad contemporánea también le permite grabar al aguafuerte los modelos intemporales de su obra, con frecuencia, como en «Vuelo a casa», el arquetipo de un joven expuesto a la pérdida y desolación «que vuelve otra vez al mundo de los hombres».

4.

En una nota manuscrita sin fecha de la parte inferior de una página de la novela en que trabajaba, Ellison escribió «libro de cuentos», luego las palabras «cuento de linchamiento y avión. Que lo vea Fanny». Pero no encontré ninguna mención más al relato sin título al que he llamado «Una fiesta abajo en la Plaza». Sin embargo, el relato es una hazaña, cuando menos, como Ellison señaló de las técnicas y efectos de Hemingway, porque contarlo «ofrecía sus propias dificultades de convencionalismo». Al narrar un brutal linchamiento en la voz de un chico blanco de Cincinnati que visitaba a su tío en Alabama, Ellison desafía lo que él llamó en «La narrativa del siglo XX y la careta negra de la humanidad» (1946) la «segregación de la palabra», y atraviesa la línea de la narrativa de color entonces vigente en la literatura norteamericana. Como la víctima negra del linchamiento, el narrador blanco de Ellison no tiene nombre; indudablemente ansía el anonimato. Sin embargo todo lo que se ve, oye, huele, toca y siente mientras pegan fuego al negro se expresa únicamente con los sentimientos, palabras y punto de vista del chico que lo contempla.

Como escritor, Ellison se introduce en las separaciones y contempla lo que pasa alrededor desde debajo de la piel de su joven narrador blanco. El cuento se tensa con la contención del escritor y el relato prosaico, aterrador, desvergonzado de la noche. El chico se expresa con el lenguaje tan conscientemente sin yo propio de un reportero distanciado, que se vuelve tímido. En sus últimas palabras el chico intenta al tiempo manifestar y ocultar su respeto por el asesinado. «Fue mi primera y última fiesta. Dios, pero aquel jodido negro era duro. ¡Aquel asqueroso negro Bacote era un cacho de asqueroso negro!» La repetición de *asqueroso negro* niega, afirma, y vuelve a negar el misterio e igualdad de la condición humana.

Ellison juega sutilmente con lo que él mismo llamó en «Palabras atrevidas para una ocasión sobrecogedora» ese «estado de ánimo de responsabilidad moral personal a favor de la democracia» que consideraba que casi había desaparecido de la literatura norteamericana después de que la narrativa clásica del siglo XIX se rindiera ante los modernos en la década de 1920. En «Una fiesta abajo en la Plaza» imagina un linchamiento desde la perspectiva de alguien sin punto de vista moral. Su técnica obliga a los lectores a experimentar la condición humana *in extremis,* a través de un forastero dedicado únicamente a la observación, y no la acción del testigo. Si se exceptúa la víctima negra, los participantes y espectadores son blancos desde cerca y lejos, iluminados fugazmente por la lenta y atroz tortura del «asqueroso negro Bacote», de cuyo delito o afrenta el narrador no proporciona el menor atisbo; probablemente no lo sepa. Inquietantemente, las palabras de Ellison, casi cincuenta años después, en «Un derroche de risas», sobre el significado ritual del linchamiento parecen una glosa de su relato muy anterior: «De ahí su sordera ante los gritos de dolor, su frialdad frente a la visión y el hedor de la carne ardiendo, su animoso y grotesco fariseísmo». Y las cosas son así exactamente. De hecho, a los espectadores del relato les horroriza el chisporroteo de la carne de una mujer electrocutada por un cable de alta tensión que ha dejado suelto al golpearlo un avión cuyo piloto, en la confusión y furia de un ciclón, confunde el círculo de fuego del linchamiento con las señales encendidas en un aeropuerto. Pero la repulsión de los linchadores es breve; vuelven al asunto que se traen entre manos como si únicamente el auténtico fin del mundo pudiera desviarles de su decisión de quemar vivo al hombre de raza negra.

El contraste entre las aberraciones humanas y naturales del linchamiento y el ciclón no queda subrayado por el narrador. Sus principios morales suponen un compromiso con lo evasivo, como si la precisión dependiera de la neutralidad. Los lectores de Ellison deben ganarse el derecho a ser intérpretes. Por ejemplo, el narrador revela la presencia del sheriff sólo cuando señala que él y «sus hombres gritaban y echaban a la gente para atrás con armas que brillaban en sus manos»; apartándolos de los cables mortalmente vivos hacia el negro todavía atado en el tablado en llamas. Era necesario no decir que el sheriff está participando en un linchamiento ilegal; el efecto viene sugerido por lo que Hemingway llamó «la secuencia de movimiento y acción que crea la emoción». Según la acción avanza inexorablemente hacia el punto culminante de la violencia ritual, el distanciamiento del narrador se vuelve todavía más espeluznante, porque él no mantiene relación ni con el «asqueroso negro» ni con la conciencia de sí mismo. Su sensibilidad se limita a las meras sensaciones de una percepción condicionada, su respuesta es tan sin relieve y unidimensional que despierta al lector más vivamente a lo que *está* teniendo lugar. Con todo, el joven testigo blanco testifica con metáforas en lo que se refiere a la impresión dejada cuando el dolor del negro es más imborrable. «Nunca olvidaré aquello. Cada vez que hago una barbacoa me acuerdo de aquel jodido negro. Su espalda parecía cerdo a la parrilla. Le vi las marcas de las costillas donde empiezan en la columna vertebral y se curvan hacia abajo. Había que verla, la espalda de aquel jodido negro.» Pero la respuesta más *expresiva* del chico procede de su interior cuando, ante su vergüenza, vomita. «Estaba mareado, y agotado, y débil y helado.» Sus sensaciones *son* la respuesta, y ellas significan una resistencia a los valores que le han enseñado a no discutir. Posteriormente, el narrador dice: «Sopló durante tres días seguidos», y en una acción verbal refleja, proporciona un testimonio ambivalente recurrente a la dureza del hombre asesinado. Más allá de él, el juego de manos de Ellison deja a los lectores con la sensación de que lo sucedido no seguirá soplando en las repercusiones de la tormenta de la naturaleza; ni del hombre.

«Una fiesta abajo en la Plaza» es una anomalía. Contado por un chico blanco, el relato crea un desolado trasfondo para la exploración por parte de Ellison de la vida y el carácter afroamericano en los cuentos que siguen. Entre «Una fiesta abajo en la Plaza» y «Vuelo a casa» («... me dicen que yo provoqué una tormenta y un par de linchamientos aquí abajo en Macon County», dice el viejo Jefferson en su cuento popular de «Vuelo a casa»), los relatos siguen la trayectoria imaginada por Ellison de la experiencia negra de la adolescencia y juventud a la edad adulta. En contraste con «Una fiesta abajo en la Plaza», donde hecho y sensación amenazan con imponerse al total de la conciencia, los demás relatos se apoyan en la «conciencia consciente» de los personajes. El joven narrador blanco de «Una fiesta abajo en la Plaza» sobrevive sin investigar el significado de las cosas; en ese pueblo de Alabama, cuanto más superficiales las respuestas, mejor le irá. No pasa lo mismo con otros narradores y personajes de Ellison. En cuanto negros norteamericanos, sus vidas dependen de saber tanto *qué* estaba pasando como *de qué modo* vivir dentro de ello.

En «Un chico en tren», James, que se ha quedado sin padre recientemente, viaja con su madre y su hermano pequeño de Oklahoma City a McAlester, donde a su madre le espera un empleo en el servicio doméstico. (También Ellison realizó un viaje parecido con su madre y su hermano menor, Herbert, y pasó un año en McAlester.) «Un chico en tren» centra la realidad en la familia; el protagonista, el joven James, ve el mundo en términos de su impacto sobre sus parientes inmediatos. En el relato James oscila alternativamente adelante y atrás entre las cosas de un muchacho y las expectativas de que actúa como el hombre que no es. Con sus ojos de niño, ve que los blancos parecen diferentes de los negros, se pregunta por qué y, a falta de explicación, recurre a la cautela y la alerta como un camuflaje contra el peligro. Su curiosidad le espolea a entender la diferencia entre cómo parecían las cosas (y se suponía que eran) y cómo son. Aprecia la diferencia entre el mundo que pasa junto a la ventanilla del tren y las imágenes convencionales de ese mundo; la vaca que ve «parecía una vaca del cuaderno para dibujar del bebé, sólo que no había mariposas alrededor de la cabeza».

En los tres primeros cuentos de Buster y Riley, Ellison dramatiza su sensación de muchacho —recordada en *Sombra y acción*— de que «el hecho de que se hayan impuesto ciertas limitaciones a nuestra libertad no disminuye nuestro sentido de la obligación. ¿Íbamos, no sólo a preparar, además íbamos a poner en acción, y no con mera habilidad sino casi con un entusiasmo inquieto, el, podríamos decir (sin evocar la extraña y cuestionable idea de *negritud*), estilo negro norteame-

ricano?» Los dos chicos llevan a cabo lo que Ellison llama «la interpretación de muchos y distintos
papeles» en su anhelo por escapar del limitador
aunque protector nido familiar, y volar libremen-
te en el mundo más amplio.

En «Mister Toussan», Buster y Riley impro-
visan una versión increíble de los logros históricos
de Toussaint L'Ouverture en forma de preguntas
y respuestas hasta que la acción simbólica de su
lenguaje les da ánimos para robar unas cerezas que
el blanco, Rogan, ha declarado fuera de su alcance. Eso pasa en «Una tarde», cuando a los chicos
fastidiados ante la combinación sin salida de abu-
rrimiento y conflictos con sus padres la raza les sale
al paso. El padre de Riley amenaza con «ahumar-
lo», restableciendo antiguos castigos de esclavos, y a
Buster le molesta la irritabilidad de su madre sobre
todo por saber que se produce «siempre que a ella
le iba mal con los blancos». En «Si yo tuviera alas»,
cuando la beata y vieja tía Kate hace callar las protestas de Riley en el nombre del Señor y el código
de conducta de la segregación, los chicos ponen a
prueba su curiosidad e inquieta aspiración contra
las limitaciones de la naturaleza. Pero cuando su
plan de enseñar a volar a unos polluelos mata a
los polluelos, tía Kate reaparece como el ángel de
la muerte, y Buster y Riley se contentan con que
vuelen las palabras.

«Un par de indios sin cuero cabelludo» narra un rito de paso en un estilo narrativo que da
a la experiencia una cualidad tanto de inmediatez
como de examen retrospectivo. Cuando los chicos
oyen las palabras obscenas, la trompeta significativa, mientras andan hacia la feria desde el bosque,

Buster improvisa unas palabras que se adecuan a lo que oye en el vuelo libre de la música:

«Dice:

Conque no juegues con ellas, ¿eh?
Conque no juegues con ellas, ¿eh?
Bueno, patea y bate palmas,
Porque voy a tocarles la tierra prometida...

—Tío, los blancos saben lo que ese idiota está dando a entender con ese instrumento, para ellos es lo más claro del mundo».

Pero es el narrador, al cual recientemente le han «cortado el cuero cabelludo» (lo han circuncidado) lo mismo que a Buster, el que se tropieza con el saber en la choza tabú de la vieja Tía Mackie por el que otros podrían sacarle «fuera del mundo». Deslumbrado, emerge de su ambiguo, solitario encuentro de niño con esa antigua vieja, misteriosa y mágica como la luna, cuyo cuerpo desnudo contrasta con su arrugada cara y sus reveladores pelos, y le ofrece la promesa y belleza de la juventud y el impulso de marea de la sexualidad. «Todo era real» —confía él, maravillado. Solo en la noche, con sus aguzados sentidos tocados por las formas de la naturaleza, la sensibilidad matizada del narrador se pone súbitamente acorde con los sentimientos que le abren al misterio y posibilidades de la vida y el mundo.

«El vigilante de Hymie» y su relato compañero, «No me enteré de cómo se llamaban», son narraciones de cautela, violencia y una sorprendente ternura. Los dos relatos reimaginan experiencias de Ellison de cuando viajaba sin pagar en trenes de mercancías a principios de la década de 1930. «El vigilante de Hymie» sigue a un joven sin nombre que va solo, sin destino, como otros de su edad; y en «No me enteré de cómo se llamaban», otro joven sin nombre viaja sin pagar en un mercancías con *un destino:* la Universidad de Alabama, como Ellison hizo el verano de 1933. En cada uno de los cuentos la narración empieza en primera persona del plural, como si viajar en mercancías proporcionara a los vagabundos un lazo fraterno como el que disfruta la tripulación de un barco. En «El vigilante de Hymie» el *nosotros* persiste de principio a fin, puntuado por ocasionales *tú* cuando el narrador de Ellison se dirige a los que escuchan, y *yo* cuando ejerce de testigo ante el ataque no provocado a Hymie del vigilante y aquél mata a éste con una navaja. A los ojos del narrador de Ellison, Hymie es un *matador,* su navaja súbitamente desplegada como una *muleta.* «El vigilante de Hymie» se convierte también en un relato de fuga, pues el joven narrador negro y sus compañeros se enfrentan a una paliza, la cárcel, o algo peor, cuando en los depósitos ferroviarios de Montgomery los ponen en fila dos guardianes que bufan de rabia dispuestos a vengar a su camarada muerto. Los jóvenes vagabundos están «más contentos que la hostia» porque, subidos al techo de un vagón de carga, se alejan de la escena del crimen y de las cercanas maquinaciones de Scottsboro de un par de años antes.

«No me enteré de cómo se llamaban» empieza como si el narrador de «El vigilante de Hymie», ahora con más experiencia, contara otro relato. Aquí, el *nosotros* se refiere al narrador y su amigo, y pronto se convierte en *yo* cuando habla de Morrie, un tipo blanco con una pierna artificial, que ha evitado que caiga entre dos vagones. Lo mismo que «El vigilante de Hymie», «No me enteré de cómo se llamaban» sigue el ritmo sincopado de los mercancías en los que viaja el narrador, unas veces con suavidad y rapidez, otras con el movimiento a tirones de vagones que chocan entre sí, luego regresando a la marcha lenta o acelerando hacia un destino en algún punto que también es ningún punto. Como su sucesor el Hombre Invisible, el narrador es personal, incluso íntimo. «Yo estaba pasándolo mal tratando de no cabrearme en aquellos días», confiesa, y sigue con una respuesta bien afilada a los prejuicios raciales. «Aún me peleaba con los vagabundos; con ayuda de Morrie. Pero había aprendido a no atacar a los que no eran personalmente agresivos y sólo expresaban pasivamente lo que les habían enseñado.» El joven evoca con intensidad el paisaje campestre desde Colorado, pasando por Kansas, hasta Oklahoma, quizá como lo recordaba Ellison de un viaje a Denver con la banda de música de su instituto. En todo caso, el viejo matrimonio al que el narrador conoce en un furgón se muestra conmovedor entre sí y amable con él, casi excesivamente. Al mantener el anonimato de «El vigilante de Hymie», el narrador no se identifica a sí mismo. Pero reconoce la complejidad de conocimiento y lenguaje, revelando que se ha enterado de lo de Scottsboro mientras estaba preso en Decatur, Alabama, y que «pensé a menudo en la pareja de viejos aquellos días que estuve en la cárcel, y sentí no haberme enterado de cómo se llamaban». También se había enterado, claro, de otras cosas. Una vez más ahí está el gran apetito de Ellison (y de sus personajes) por la igualdad democrática; como la balsa de Twain y el ballenero de Melville, los trenes abren la posibilidad de la fraternidad incluso frente a la violencia, el peligro y el odio racial.

«Difícil mantenerse a su altura», «La pelota negra» y «El Rey del Bingo» son cuentos de jóvenes negros que tantean el terreno que pisan en el mundo más extenso, adaptándose a una vida como juego de oportunidades en el que las desigualdades son duraderas, los logros en el mejor de los casos están en duda y en el peor fijados, incluso cuando has ganado el gordo. Como las vías del tranvía cubiertas de nieve en «Difícil mantenerse a su altura», la frontera del color siempre está ahí. Visible o invisible, es palpable para los dos camareros del vagón restaurante detenidos en una ciudad sin identificar no lejos de la línea Mason-Dixon, y para John, el portero y hombre para todo de un edificio de apartamentos de «La pelota negra». Como otros relatos tempranos inéditos, «Difícil mantenerse a su altura» lo cuenta un narrador sin identificar a no ser por una referencia fugaz a «Al» de su amigo Joe, que se rebela contra el esquema de segregación racial de las cosas, muchas veces a punto de estallar. El cuento transmite la sensación de dos tipos que avanzan por la nieve hacia la mejor pensión del barrio negro de la ciudad. No andan en busca de problemas, pero los esperan. Sin embargo, cuando lo que parece un feo incidente racial cargado de sexo resulta ser una apuesta amistosa entre el personaje de los bajos fondos, Ike, y Charlie, un conocido suyo negro deportista profesional, Joe y Al se resisten a reír. En una reverberación de Hemingway, Ellison da por completo la vuelta al peligro totalmente trivial y la desesperación de «Los asesinos».

Juegos y cartas marcadas son adecuadas metáforas para las reglas de segregación racial de «La pelota negra», tal vez el más sutilmente trabajado y terminado de los cuentos inéditos. John, el narrador, está tenso con la ternura de un padre hacia su hijo. Es consciente de que haga lo que haga, el chico tendrá —en realidad, ya ha empezado a tener— su iniciación al «antiguo juego de pelota» de reglas amañadas. Ambientado en el Sudoeste y, como otros cuentos inéditos, escrito a máquina en el dorso de papeles con el membrete del Comité Ejecutivo Republicano del Condado de Montgomery, «La pelota negra» está lleno de matices de la sensibilidad del narrador para las diferencias entre el Sur y el Sudoeste. «¿No sabe que no nos asusta enfrentarnos a los de su raza?» —se pregunta John en una respuesta refleja al estereotipo del campesino blanco antes de enterarse de que al hombre le han quemado las manos con una tea de gasolina porque ha defendido la coartada de un amigo negro acusado falsamente de violar a una blanca en Alabama. Al escuchar la historia y ver las manos del hombre, John siente disminuir su desconfianza. Aquí y en otras partes de los cuentos de su primera época, los personajes afroamericanos de Ellison muestran una persistente buena disposición a superar su hostilidad hacia los blancos, suspender su incredulidad, y quizá unir sus esfuerzos hacia la hermandad, en este caso un sindicato que trata de organizar a los trabajadores blancos y negros del servicio de edificios. El recuerdo de John de las manos quemadas del organizador blanco, junto a la amenaza de su jefe de quitarle las pelotas y las preguntas entre sabias y tontas de su hijo, le empujan hacia el pensamiento de que «a lo mejor había un color distinto al blanco en la vieja esfera del mundo».

«El Rey del Bingo» es un relato en tercera persona en el que un emigrante simplón del sur de Harlem gana en el bingo y adquiere el derecho a dar una vuelta a la rueda de la fortuna y conseguir el gordo. A pesar de su urgente necesidad de dinero para pagar los cuidados médicos de su mujer, el acto de hacer girar la rueda se convierte en su energía, su vida, su Dios. El Rey del Bingo experimenta ese poder demoníaco que Leon Forrest, en su «La luminosidad de las frecuencias más bajas», asocia con la provocativa imaginación de Ellison. Se siente tan liberado por el acto de apretar el pulsador que no lo puede soltar hasta que a la fuerza le apartan de él unos guardias de seguridad, uno de los cuales le aporrea en el mismo momento en que ve que la rueda se detiene en el cero doble y el premio gordo. El cero doble es su destino; es «el que gana no se lleva nada» a no ser la paliza tras el telón, e indudablemente otra vez la cárcel o el arroyo antes de encontrarse libre. «El Rey del Bingo» anticipa el diezmo pagado a la fluidez, la violencia, el caos y lo completamente surrealista de *El hombre invisible*.

En su concentración en el enigma de la identidad, «En el extranjero» también anticipa *El hombre invisible*. En este relato, «la respuesta a la complicada cuestión de la identidad es musical»

—ha observado Robert G. O'Meally en *El arte de Ralph Ellison,* y—: «La música, aquí, es la metáfora de la libertad y el amor de Ellison». En su dolorosa timidez, el protagonista, Parker, se da cuenta de que para los galeses de los que se ha hecho amigo después de que sus compatriotas yanquis le hayan puesto negro el ojo, *él* es un auténtico norteamericano. Reconocen, como escribió Ellison muchos años después, que hay «algo innegablemente norteamericano en los negros». Qué doloroso le resulta a Parker reconocer esta percepción y actuar de acuerdo con ella. Mientras el coro galés entona *Barras y estrellas,* «como para traicionarle oyó cantar a su propia voz como una radio con el volumen repentinamente más alto». En el subconsciente, lo del «país extranjero» sirve menos para Gales que para Estados Unidos, y como muchos norteamericanos, Parker descubre lo que es ser norteamericano al otro lado del océano. Atacado sin provocación por los primeros compatriotas blancos que ve en Gales, Parker siente ambivalencia con respecto a Estados Unidos, tanto como «al horrible país de los sueños que presentía» y el país cuyos ideales él experimentó en *jam sessions* mixtas allá en su tierra. «Cuando hacemos una *jam session,* señor, somos jamócratas», piensa para sí mismo. Preguntado: «¿Qué se siente al estar libre de ilusiones?», el Hombre Invisible responderá: «Dolor y vacío». Y antes, en «En el extranjero», Parker reclama una Norteamérica «libre de ilusiones». Su lucha por definirse a sí mismo anticipa el deseo de Ellison, expresado en su Introducción de 1981 a la edición del treinta aniversario de *El hombre invisible:* «Crear un narrador que pudiera pensar además de obrar» y cuya «capacidad para la presunción consciente» sea «básica para su búsqueda a ciegas de la libertad». Como otros narradores y personajes de estos cuentos, Parker anticipa la creación de Ellison, en *El hombre invisible,* de «una risa en tono de blues ante las heridas que le incluyera a sí mismo en su denuncia de la condición humana», y fuese en consecuencia capaz de ver mejor y abrazar el mundo en su diversidad.

Junto con «Una fiesta abajo en la Plaza», «Vuelo a casa» enmarca el conjunto de cuentos. El relato anticipa la invisibilidad, el enigma del abuelo, y la técnica de solos e interrupciones con la que Ellison alza el vuelo en *El hombre invisible.* En «Vuelo a casa», justo cuando el protagonista del Norte cree, con un guiño al Stephen Dedalus de Joyce, que ha aprendido a usar sus artimañas para escapar de las limitaciones de raza, lenguaje y geografía, las circunstancias le obligan a enfrentarse al extraño «viejo país» del Sur. Descendiente literario de Ícaro, Todd, una de las águilas negras de la escuela de vuelo negra de Tuskegee, vuela demasiado cerca del sol y cae a tierra en la Alabama rural. Allí, a diferencia de su antecesor mitológico, le salva Jefferson, cuyos cuentos populares y actos permiten a Todd reconocer dónde está y quién es, y volver a la vida siguiendo al viejo campesino negro y a su hijo por el laberíntico valle de Alabama. La risa, que Todd asocia anteriormente con la humillación, entra en erupción desde su profundo interior en el clímax del cuento, y aprovechándose del caos, el viejo Jefferson viene en su rescate y lo lleva lejos del peligro.

En la Introducción de 1981 a *El hombre invisible,* Ellison recuerda a su piloto como «un hom-

bre de dos mundos», que «se siente incomprendi-
do en los dos, y así no está cómodo en ninguno».
Mirando el futuro, concluye que «yo en ningún
caso era consciente de su relación con el Hombre
Invisible, pero poseía claramente algunos de los sín-
tomas». Y Ellison podría haber añadido que poseía una parte del optimismo cualificado, fraternal,
democrático, del Hombre Invisible final. «Una
nueva corriente de comunicación [que] circulaba
entre el hombre, el chico y él mismo» permite a
Todd transfigurar un buitre —uno de los «buitres
comenegros» que temía, con los que se identifica-
ba y volaba en los vuelos de entrenamiento— en
emblema del vuelo y la libertad. En las últimas
palabras del cuento «vio el ave negra que planeaba
en el sol y brillaba como un ave de oro en llamas»,
quizá haya una imagen profética, inspirada por la
pieza de jazz de Lionel Hampton, *Flying Home,*
del triunfante vuelo de Ellison en *El hombre invisible.*

5.

En su conjunto, los cuentos presentan la
visión notablemente consistente de la identidad
de Estados Unidos que Ellison mantuvo durante
más de cincuenta y cinco años de vida como escritor. En «La pelota negra» el niño hace a su padre
una pregunta que otros antes que él han planteado y los que han llegado después todavía hacen
desde puntos diferentes de la frontera del color. «El
color trigueño es mucho más bonito que el blanco, ¿verdad, papá?» «Algunas personas piensan eso»,

concede su padre. «Pero ser norteamericano es mejor que las dos cosas, hijo.» Su respuesta afirma la creencia de Ellison en una identidad democrática común: no *idéntica,* sino *común.* Elementalmente planteado, este sentimiento es el credo de Ellison. Como el narrador de su cuento de hace tanto tiempo, promete lealtad a Estados Unidos y al ideal que defiende, consciente de la distancia que persiste entre la realidad del país y su principio. Para Ellison, la idea de Estados Unidos es prima carnal de las posibilidades de la narración. Consideraba a cada una un territorio, como escribió en el libro de un amigo «siempre buscado, siempre perdido, pero siempre ahí». De sus cuentos podemos decir esto: llevan a Ralph Ellison al territorio de la novela; hacia *El hombre invisible,* con sus «bajas frecuencias», transportadas, llenas de miedo, fraternales, de democracia, y más allá, a la *terra incognita* de la novela que escribía.

Washington D.C.
Noviembre de 1996

Índice

Este libro
se terminó de imprimir
en los Talleres Gráficos
de Unigraf, S. L.
Móstoles, Madrid (España)
en el mes de febrero de 2002